D1486397

LUDOVIC JANVIER

UNE PAROLE EXIGEANTE

LE NOUVEAU ROMAN

LES ÉDITIONS DE MINUIT

UNE PAROLE EXIGEANTE

LUDOVIC JANVIER

UNE
PAROLE EXIGEANTE

LE NOUVEAU ROMAN

LES ÉDITIONS DE MINUIT

IL A ÉTÉ TIRÉ DE CET OUVRAGE TRENTE
EXEMPLAIRES SUR PUR FIL LAFUMA NU-
MÉROTÉS DE 1 A 30, PLUS SEPT EXEM-
PLAIRES HORS-COMMERCE, NUMÉROTÉS DE
H.-C. I A H.-C. VII
IL A ÉTÉ TIRÉ EN OUTRE CENT DOUZE
EXEMPLAIRES SUR BOUFFANT SÉLECT MAR-
QUÉS « 112 », NUMÉROTÉS DE 1 A 112
ET RÉSERVÉS A LA LIBRAIRIE DES
ÉDITIONS DE MINUIT

*La plupart des hommes sont malades,
comme d'une épidémie, malades de leurs
fausses croyances sur le monde.*

Diogène d'OENOANDA.

*La conception de la réalité objective des
particules élémentaires s'est donc étrange-
ment dissoute, non pas dans le brouillard
d'une nouvelle conception de la réalité
obscure ou mal comprise, mais dans la
clarté transparente d'une mathématique qui
ne représente plus le comportement de la
particule élémentaire mais la connaissance
que nous en possédons.*

Werner HEISENBERG.

TABLE DES MATIÈRES

Nous faisons porter notre analyse sur quatre œuvres :
celles de Nathalie Sarraute, Claude Simon, Alain Robbe-
Grillet et Michel Butor. Ce sont à la fois les plus représen-
tatives et les plus achevées d'une tendance qui n'en est
certes plus à se définir mais dont l'éparpillement actuel en
de multiples directions — signe de vitalité — empêche
l'observateur d'opérer aujourd'hui une synthèse qui ne soit
pas, demain, périmée. Le Nouveau Roman est donc saisi
au début de sa démarche. C'est dire que le même travail
reste à faire pour les œuvres de Claude Ollier, Robert Pinget, Jean-Pierre Faye, les écrivains du groupe *Tel Quel*, afin
de situer un jour ces recherches qui, s'appuyant entre
autres exemples sur les expériences capitales de Michel Leiris (1) et de Samuel Beckett et menant jusqu'à une révolution
totale dans l'écriture, font véritablement apparaître comme
éclatant l'avenir de la littérature romanesque. Les réflexions
constituant cet essai sont une contribution à cet effort de
repérage.

On s'étonnera peut-être, alors, de ne pas y trouver de
références aux thèmes majeurs d'une certaine critique quand

---

(1) Admiration commune de Claude Simon et de Michel Butor,
comme Raymond Roussel l'est de Michel Butor et d'Alain Robbe-Grillet.

elle parle de ces écrivains : l'Image, le Temps. C'est qu'il s'agit ici, à notre avis, de réductions abusives de l'entreprise en question.

Dans le cadre d'une enquête sur les rapports entre leur tentative et le cinéma (2), Michel Butor et Claude Simon concluaient dans des termes différents à l'existence entre les deux expressions de relations de parenté, dans la mesure où le cinéma nous a appris à voir et, ainsi que le note Simon, à situer précisément dans l'espace. Mais, d'autre part, l'auteur du *Vent* fait ressortir, tombant d'accord de manière frappante avec les autres écrivains interrogés, l'entière spécificité des deux langages. Le cinéaste montre, le romancier décrit. Où l'un parle, l'autre donne à voir. Il s'avère donc *impossible,* pour le roman, de « marcher sur les traces du septième art », ou de le concurrencer. C'est faire un contre-sens sur la nature de l'image et celle de la description que de les assimiler. Au cinéma, comme toute expression contemporaine, le récit a pris le goût du concret, du détail « visuel », mais ce n'est pas une lanterne que le romancier manie, c'est un langage : il crée avec des mots qui constituent un univers spécifique. Quant à Robbe-Grillet, son œuvre est en elle-même une réponse à l'enquête : au besoin de faire voir correspond chez lui l'expression proprement cinématographique, et il a d'autre part déclaré, comme on lui parlait de son goût pour la photographie : « La photographie m'est-elle utile en tant qu'écrivain ? Je vous répondrai qu'il n'y a aucun rapport entre une description et une image. L'image montre, la description détruit. Mais il y a probablement des rapports entre tout ce qu'on fait et il y a sans doute un rapport entre mes préoccupations de photographe et ce que j'écris. Et si les rôles de la pho-

---

(2) In *Premier Plan,* nᵒ 18. consacré à Alain Resnais.

tographie et de l'écriture sont antagonistes, la vision est la même » (3).

C'est Robbe-Grillet encore qui dit, parlant du temps dans le roman d'aujourd'hui : « Dans le roman moderne, le temps n'existe plus. Si les problèmes de la mémoire ont pris autant d'importance, c'est que pour la mémoire, il n'y a pas de temporalité... » C'est assez mettre l'accent pour son propre compte sur l'*hic et nunc* du temps mental. Pour Simon, même s'il va chercher dans le souvenir le présent de l'écriture, c'est dans l'intention de faire vivre autour du personnage l'Espace-Temps simultané. Butor, lui, rêvera, dans *Degrés* par exemple, d'éclairer le présent : ce qui revient à appréhender, à voir s'organiser le plus d'espace possible. Des études récentes nous montrent, à propos de Proust, ce qu'on avait mal vu jusque-là : souffrant de la séparation dans l'espace et de la discontinuité dans le temps, le narrateur de *La Recherche* est avant tout soucieux de faire tenir autour de lui un Espace-Temps circulaire dont il serait la conscience centrale : on a fait remarquer qu'en somme il s'agit autant de reconquérir un *lieu* perdu... C'est cette tentative, contaminée chez Proust, il faut le dire, par l'obsession de l'enfance et l'essai de récupération du paradis, qui se réalise enfin de façon adulte, même si la réussite est incomplète, dans les recherches romanesques contemporaines. Ayant passé l'âge du *Bildungsroman* ou du roman-récupération de soi, le roman contemporain se préoccupe totalement de l'homme ici et maintenant, engagé dans son présent, et s'efforçant de parler dans l'espace autour de lui, s'efforçant de faire parler l'espace autour de lui.

La seule justification du terme Nouveau Roman, auquel

----

(3) In *Arts*, n° 890.

nous enlevons ses guillemets et que nous reprenons après bien d'autres, est-elle dans sa commodité ? Il est évident que le *Tropismes* de Nathalie Sarraute, qui a quelque vingt ans d'âge, n'a rien de « nouveau », littéralement parlant. D'autre part, on voit mal ce qui peut apparenter l'entreprise de Nathalie Sarraute à celle de Claude Simon, celle-ci à celle de Butor, etc., sinon un caprice d'édition.

Il est hors de doute pourtant que, pour répondre à la première objection, *Tropismes* et *L'Emploi du Temps* fondent un *autre* roman, se distinguant sans possibilité d'erreur des *Qui j'ose aimer* et des *Racines du Ciel*. Ou bien doit-on dire que chaque roman nouveau de M. Jean Dutourd est un nouveau roman ? Il fallait une référence commode : pour arbitraire qu'il soit, le terme est clair.

Quant à la deuxième objection, nous tentons d'y répondre dans une introduction, avant d'aborder, sous les angles des structures et des thèmes, les quatre œuvres considérées.

I

NOTES SUR LA METHODE

L'ANTI-HÉROS EST ANONYME

Le Roman a pu longtemps, vivant du couple vraisemblance-vérité et entretenant une imposture dont pas mal d'œuvres se réclament encore, se faire passer pour un ersatz fidèle du monde, autant que possible « saisissant de ressemblance » et consommable tout de suite. Trop longtemps après Proust, Joyce, Kafka — mais est-ce tout à fait par hasard ? — nous savons, depuis dix ans environ, qu'il ne peut traduire qu'une recherche et que les bouleversements qu'a subis la « technique » du récit manifestent avant tout sa qualité de *Question*.

Dès lors, après Nathalie Sarraute et quelques autres, il est devenu bien banal de voir dans le roman traditionnel tel qu'il est aujourd'hui écrit et lu l'expression abusivement privilégiée d'un univers auquel nous ne croyons plus que par paresse, comme d'ailleurs au personnage, problématique ou non, autour duquel cet univers s'organise.

. Il est même devenu quelque peu difficile d'adhérer pleinement, en dépit du terrorisme de la critique spécialisée, au monde et au personnage de Proust, malgré sa quête individuelle émouvante, de Joyce, s'agit-il d'un personnage enfin gommé et d'un En-dehors déjà problématique, de Kafka, dont l'interrogation anonyme et têtue ouvre sur notre temps...

Le roman de formule traditionnelle se parait — se pare encore, dans la mesure où « faire » du Balzac et du

Zola rapporte toujours — de tous les prestiges, au point de nous sembler contaminé par une complaisance évidente. Sur ce point, tout le monde entend bien qu'il s'agit de la complaisance du romancier pour son monde, pour son lecteur à l'occasion. Or cette attitude en entraîne une autre, moins aperçue mais plus suspecte : la complaisance du lecteur de notre temps pour un univers convenu, facile, à portée de la main.

On voit un Balzac, par exemple, jongler avec une multitude de personnages et tenter de reconstituer, par le grouillement de ces destins interférant, le grouillement de l'Existence vue d' « en-haut ». Il brasse, use une quantité prodigieuse d'aventures particulières pour alimenter cette énorme machine qu'est *La Comédie humaine*. Et cette prodigalité, par le même mouvement qui la fait imiter la Création et faire concurrence, on le sait, à l'état civil, finit par donner au lecteur, au consommateur, une grande impression de facilité : dans ce monde somptueux, nous entrons comme dans un moulin, nous sommes chez nous. Balzac est Dieu le Père, nous sommes à sa droite. Car c'est pour nous que cet univers aisément repérable, bien entier, vu de l'Empyrée, a été « fait », ou, si l'on préfère, « refait ». Et de même que le romancier est le maître de ce pandémonium dont il tire les ficelles avec la malice et l'omniscience du Tout-Puissant, de même le lecteur, à la tête de cette armée colossale, tenté, entraîné, suscité par ce tourbillon, est à sa fête. Le voilà propriétaire paresseux d'un domaine qu'il n'entretient pas et qui lui rapporte. Le romancier a tout prévu pour lui, il a pourvu à tout. Lui, lecteur, en jouit. Il y a là quelque scandale.

Plus encore. Dans ce monde qui vient à nous pour nous célébrer, quel est notre rapport au personnage ? Que fait-il dans notre Histoire personnelle ?

Facilement accessibles à une imagination qui ne demande qu'à entrer dans les impressionnantes perspectives ouvertes par ces grands seigneurs prodigues que sont Balzac, Dostoïevski, etc., les personnages sont autant de tentations. Le temps d'un roman — s'il est long, s'il est riche, s'il est problématique jusqu'au bout, tant mieux —, nous épousons les généreuses intentions, c'est-à-dire bien nettes, trop claires, de qui nous « raconte »... Il fallait être bien armé, entre 1815 et 1860, pour ne pas rêver fortement sur le sort de tous les Napoléon dissimulés sous les défroques stendha- liennes, balzaciennes, etc. Rien de plus simple que de se laisser glisser vers *Moll Flanders,* que d'approcher *Tess d'Uberville* par sa délicieuse sensualité, et les personnages de Tolstoï au milieu de leur planétarium de princes ! L'existence avec eux est comme angélique : tremplins, ils m'aident à partir, à leur côté la respiration est facile. Nommons au passage le vieux réflexe d'identification, néces- saire à la lecture peut-être, mais en même temps inventeur de l'admiration héroïque et de la catharsis, deux méca- nismes qui, jouant droit fil ou à rebours, nous font vivre par procuration le sort du personnage, partager sa part de ciel ou d'enfer. S'il est prestigieux, me voilà traversant avec lui — comme ces personnage de Chagall l'espace bleu d'une seule enjambée aérienne — la zone facile du livre. S'il est ignoble ou médiocre, il m'est facile de me purifier ou de me grandir à ses dépens. Et puis il y a aussi, pour une part non négligeable des lecteurs, cette catégorie de sentiments qui nous font délirer à la seule approche des Muijkine, des Fabrice, qui nous font assister en voyeurs aux amours brûlantes d'Anna Karénine, nous intéresser de très près à la virginité de Natacha. C'est une bien singulière conni- vence qui nous livre au pouvoir du prince innocent, du général courtisan, de l'amoureux sur-puissant, du marin demi-fou, enfin de tous ces personnages « hauts en couleur », pourvus de toutes les grâces, de toutes les disgrâces ou d'une médiocrité dorée, que nous quittons à regret ou avec soulagement sans qu'ils nous aient rien appris, sinon leur vision du monde adoptée par nous et qui nous cache ce qu'elle prétend nous montrer. Car ces personnages ne se déplacent jamais sans leur ombre : elle entame le monde devant eux et le prive de sa vérité. Que nous collions au personnage ou que nous le vouions à l'enfer, c'est une fois pour toutes cette ombre sur le monde qui est la réalité du monde.

L'Histoire, pour ces individus exemplaires, est en effet d'une simplicité aveuglante : elle est héroï-centrique. On a bien pu définir le roman comme une problématique du héros en proie à l'Histoire, mais qu'il s'agisse du *Bildungsroman* fondé sur le renoncement comme *Wilhem Meister* ou du roman-perdition à la *Don Quijote,* il y a toujours tragédie — le monde est contre le héros — ou tragédie escamotée, tout finissant à peu près bien : l'Histoire, on le voit, n'est jamais indifférente. Un héros pour un destin, un destin pour un héros. Il n'est pas trop difficile de voir dans ce schéma à la fois le schéma de tout roman jusqu'à Kafka inclus et aussi le thème favori des historiens fabricants de mythes qui, tels un Carlyle avec son *On Heroes, Hero-Worship and The Heroic in History* ou même Emerson avec son *Representative Men,* ont fait que très longtemps et encore aujourd'hui pour les crédules l'Histoire se propulse par les coups de boutoir des individus exemplaires. Napoléon ou Hamlet, à la limite, c'est tout un. Sur-puissance et impuissance ont alors le même sens ; comme Jeanne d'Arc et Bonaparte ont « fait » leur temps, l'ont tenu dans cette même poigne d'où Don Quijote et Julien Sorel le laissent glisser, le « héros » de roman échoue à « faire » le sien... C'est le même défaut de perspective qui sous-tend l'une et l'autre explication : rayonnement centrifuge de l'individu ou écrasement centripète de l'Histoire. A la lumière de cette idée qui justifie l'histoire héroïque et le roman problématique, il est facile de comprendre que, pour l'un comme pour l'autre, un récit ne saurait se passer de héros. A cet égard, Kafka n'est que l'envers de Carlyle. Dans tout cela, où est le monde, sinon rongé par le personnage ? Comment se représente-t-il, sinon contaminé par lui (1) ? C'est ce que révèlent la description et la « psychologie » selon le roman traditionnel : l'ameublement Vauquer et le vallon de Clochegourde, au lieu de nous faire voir le monde, nous mènent directement aux personnages sans que jamais ce mouvement trouve son contraire. Quant à la psychologie, elle repose, on le sait, sur la croyance en *l'Homme*. Comme le dit le poète Milosz à propos de la montagne, l'Homme « est une île au milieu des vapeurs » : une fois écartées ces vapeurs qui nous le cachent, le moi apparaît dans l'éternité du langage qui nous dévoile sa « nature » : innocent, insécable.

Cette éternité du personnage qui s'aidait de la typification pour se faire repérer, elle était enfin en question grâce à la relative dissolution de la personne intervenant chez Proust et Joyce. Et il est évident que la découverte du monde dans le roman contemporain passe par ces expériences qui, en leur temps, semblaient des expériences-limites. Pourtant l'approche est déformée, ici, par le recours au mythe qui, tel un échafaudage, soutient l'édifice prêt à crouler, là, par une irisation poétique et une hypertrophie du « sentiment » qui nous laissent encore sur notre faim. Proust, en nous révélant à nous-mêmes bien plus que Balzac, nous en disait encore beaucoup trop sur lui.

Inspiré par l'exemple de Céline, il fallait attendre Sartre

---

(1) Je lis, dans les questions 5 et 6 du célèbre « questionnaire Marcel Proust » : Quels sont les *héros* de roman que vous préférez ? Quel est votre *personnage historique* favori ? (C'est moi qui souligne.)

pour voir enfin la nature humaine chassée du roman et
l'individu non plus se définir mais se faire par son rapport
au monde. Il y avait là un saut capital : la conscience de
soi n'apparaît plus comme la constatation pure et simple
d'une supériorité ou d'une infériorité — celle-là d'ailleurs
compensée par le « coup » du roseau pensant — mais
comme une naissance à chaque instant remise en question,
comme une liberté toujours problématique. Malheureusement
l'entreprise de Sartre n'était pas seulement une enquête,
c'était aussi l'aventure d'une conquête : ses personnages
sont crispés sur la volonté d'exister comme si le romancier,
pour eux tous, sentait l'urgence de s'ouvrir à la lucidité qui
est la sienne. En eux, ni ombre ni repos et, en échec ou
non, ils souffrent tous. Le monde est naturellement informé
par cette crispation : moins intime que celui de Proust,
plus complet et plus historicisé que celui de Joyce, il
renvoie trop brutalement les personnages à eux-mêmes.
Quant à eux, dans cette œuvre riche qui est malgré tout
un peu construite comme une démonstration, ils restent
exemplaires encore (2).

Avec le Nouveau Roman, que sont devenus les héros,
les types, les personnages-tentations ?

Il est déjà facile de noter que, mis à part Claude Simon
qui de temps en temps leur fait l'honneur d'un état civil
à peu près complet, ils n'ont plus rien d'exemplaire, de
révélateur, ni même de bien net. Plus : ils ne se présentent
à nous qu'au détour de quelque événement, sans que la
plupart du temps nous ne sachions rien de leur origine ni
de leur apparence physique, ni de leurs manies. Ils sont

---

(2) Il serait juste de rendre ici à Kafka ce qui lui revient : l'« incertitude » de ces personnages qui, de Grégoire Samsa à l'Arpenteur
en passant par Joseph K., dessinent d'étonnantes présences anonymes
au milieu d'un monde inlassablement parcouru.

sans visage : ce ne seront pas eux qui exhiberont au lecteur gourmand quelque loupe sur le nez, quelque protubérance frontale... On ne sait pas la couleur de leurs yeux, à peine la forme de leur silhouette.

Ont-ils des noms ? Nous les apprenons souvent bien tard, comme si un nom était une étiquette qui nous empêchât de voir. Le nom de Jacques Revel, le protagoniste de *L'Emploi du Temps,* ne doit pas revenir plus de quatre ou cinq fois dans un récit imposant, bourré de notations et de faits. Qui se souviendra, après la lecture de *La Modification,* que ce voyageur hésitant, c'était Léon Delmont ? Il pourrait aussi bien, ils pourraient tous aussi bien s'appeler Dupont au point de se confondre et d'être interchangeables puisque, ainsi que nous le dit Beckett dans *L'Innommable,* tous ces noms signifient une seule et même personne : celle qui cherche... Cette confusion pourrait se produire en effet entre ces deux prénoms bizarres, Wallas et Mathias, portés par les deux premiers « héros » de Robbe-Grillet : lequel appartient aux *Gommes,* lequel au *Voyeur ?* Dans les œuvres suivantes, toutes les confusions seraient permises : A., X., M., N., sont les signes muets qui nous désignent les personnages depuis *La Jalousie* jusqu'à *L'Immortelle* : on ne peut mieux signifier l'effacement de l'individu devant ce qu'il voit, devant nous, peut-être. De même, chez Nathalie Sarraute, quelques prénoms bien plats servent à désigner les protagonistes, exception faite pour Martereau, qui donne son nom au livre : mais, précisément, dans ce livre-là, on se demande tout au long qui il est vraiment... Ailleurs, et cela est remarquable, la romancière utilise souvent le « Il », le « Elle », le « Ils » pour parler d'autrui : cette prolifération anonyme est impressionnante. Anonyme est également le regard, le narrateur, qu'il s'agisse du *Portrait d'un Inconnu,* dont le titre annonce déjà beaucoup, de *Martereau* ou du *Planétarium.* Mais, à cet égard, *Tropismes* et *Les*

Fruits d'Or, le premier et le dernier ouvrage, sont inté-
ressants : narrateurs ou narrés, pas un nom, pas un prénom
ni une indication « facile » qu'on puisse accrocher au personnage. Il y a là une mise à nu, non une abstraction
comme on l'a dit, par la grâce de l'anonymat le plus total.
Aucune tentation possible, aucun point de repère pour nous
glisser dans la peau ou refuser l'apparence du personnage.
Pourquoi ?

Nathalie Sarraute apporte la réponse, éclairant par là
même la condition anonyme du sujet de roman. « L'objet
de ma recherche, précise-t-elle, ce sont certains mouvements
qui préparent nos paroles et nos actes, ce que j'ai appelé
« les tropismes »... éléments inconnus, épars, confus, amorphes, virtualiés, sensations fugaces... » (3). Dès lors, pour
nous faire voir cet essentiel qui n'a que faire du « Comment-
vous-appelez-vous » aussi bien que du « Qui-êtes-vous », un
seul moyen : éviter à tout prix ce mouvement de complicité
ou au contraire de dégoût qui collent ou séparent lecteur
et personnage : « Il faut empêcher le lecteur de courir deux
lièvres à la fois... Il faut éviter qu'il disperse son attention
et la laisse accaparer par les personnages, et, pour cela, le
priver le plus possible de tous les indices dont, malgré
lui, par un penchant naturel, il s'empare pour fabriquer des
trompe-l'œil » (4). On ne saurait être plus net pour son
propre compte et, ce faisant, mieux définir une démarche
qui semble commune : car, même si Alain Robbe-Grillet a
dénoncé chez Nathalie Sarraute une résurgence du vieux
mythe de l'intériorité, ses personnages sont anonymes au
même titre que ceux de *Tropismes* ou des *Fruits d'Or* :
parce que nommer est moins important que montrer, peindre
moins nécessaire que dire.

---

(3) In *La Nouvelle Critique*, novembre 1960.
(4) In *Tel Quel*, n° 3.

Qu'en est-il du « Je », du point de vue individuel, dans cette entreprise ? Comment se comporte le support du récit : le narrateur, dans cet essai de s'effacer pour atteindre l'objet, qu'il s'agisse de mouvements intérieurs ou de l'En-dehors ? Adolphe, le narrateur de *La Recherche*, etc., ont une façon de dire Je qui relève de la subtile boutade attibuée à Louis XVIII et qui, dit-on, visait Chateaubriand : « C'est un homme qui voit loin, sauf quand il se met devant lui. » Or, ici, le Je du narrateur est gommé. Il ne se mêle au monde ni ne nous le cache : c'est un point de vue. Plus d'introspection, mais de la prospection : on regarde. Et pour permettre l'exercice de ce regard, afin de ne pas en altérer la valeur de témoignage, le témoin se rend invisible pour nous permettre de mieux voir. Quand il dit Je, et avec quelle discrétion, c'est uniquement pour que cette attention ait tout de même un support... Mais Robbe-Grillet, lui, est allé plus loin encore : au regard déjà sensiblement anonyme qui s'exerçait dans *Les Gommes* et surtout *Le Voyeur* succède dans *La Jalousie* un regard sans aucun support, puisqu'il appartient à un personnage situé hors de l'espace du roman : c'est en creux, en absence qu'il se dessine. Anonymat total mais parfaitement efficace, car jamais la vision n'a été aussi aiguë, aussi nette que dans les deux cents pages de cette admirable tentative. En même temps, ce support en creux du regard appelle tout naturellement notre intervention, sans qu'elle soit motivée par un de ces trompe-l'œil dont parle Sarraute : c'est nous qui voyons par ces yeux absents, c'est à nous, sans aucune médiation — ainsi que le veut pour elle-même l'auteur du *Planétarium* —, que se fait la révélation. Il y a là dévoilement du monde : on pense irrésistiblement à la formule de Klee que Nathalie Sarraute reprend parfois à son compte : « L'Art ne restitue pas le visible, il rend visible. »

Ce regard qui s'efface pour permettre au monde de surgir devant le mien, c'est bien le mien qu'il sollicite : c'est ce que prouve la « trouvaille » que Michel Butor a faite dans *La Modification,* où le célèbre « Vous » est la rencontre du lecteur et du personnage en creux, leur association en quelque sorte, célébrée dans cet indéfini-personnel pour nous faire découvrir, pour nous faire approcher du plus près possible une réalité qui jusque-là s'entourait de précautions ou de mensonges. Cette reconnaissance vers l'En-dehors, elle aura été rendue possible par l'anonymat poussé jusqu'à son terme (5).

C'est donc que le personnage n'est plus l'instrument actif d'un destin, d'une histoire, d'une épopée triomphante ou à rebours. C'est donc que ni le divertissement, ni l'action, ni la morale historique ou sociale, ni, en dernier ressort, la psychologie ne sont plus les instances du récit. Il s'agit maintenant de découverte et d'étonnement. Il s'agit de réduire le monde à ce qu'il se donne, sans toutes ces adhérences qui le défiguraient. Il s'agit de refuser l'inflation de la personne qui s'éclatait aux quatre coins de cet univers qu'elle prétendait nous révéler. Et cette nouvelle attitude esquisse tout naturellement une morale de la lecture : le déconditionnement du personnage est aussi celui du lecteur. En lui refusant les facilités de l'anecdote et de la psychologie aussi bien que celles de la leçon philosophique, en poussant jusqu'à l'anonymat l'exigence de clarté dans les

---

(5) « Qui parle ? » est-il demandé à la fin de *Degrés,* où la multiplicité des points de vue — des « Je » successifs — en arrive également à produire un effacement généralisé devant l'entreprise qui se dresse maintenant toute seule, appelant notre présence. Coïncidence frappante : c'est ce même « Qui parle ? » qui est au centre de la dernière œuvre de Maurice BLANCHOT, *L'Attente, l'Oubli,* qui vise à nous transmettre immédiatement l'expérience profonde vécue dans le dialogue. Là encore, la personne s'efface devant l'expérience, le vivant pittoresque devant le vécu.

rapports, le Nouveau Roman empêche qu'on prenne le récit comme un véhicule, ou même comme un instrument : il se donne comme la révélation la plus immédiate possible du monde à l'individu qui l'interroge. Tous les processus d'effacement nous désignent amplement comme le lieu même de cette expérience : c'est nous que cela concerne. On ne célèbre plus notre fête, on parle de notre difficulté. Nous ne pouvons plus lire paresseusement, parce que l'effort d'anonymat nous a placés au centre de l'entreprise en cours.

Qu'il s'agisse de mieux voir ou de mieux parler, c'est finalement de *notre* œil et de *notre* parole qu'il est question.

ERRANCE ET QUESTION

Ce personnage anonyme est souvent un homme qui marche. Dans la ville, couvrant un pays entier, sur une île, à l'intérieur d'une maison : que signifie cette errance ?

Se séparer des autres, c'est marcher le plus souvent pour chercher un sens. Ce peut être le banal besoin de comprendre, d'y voir clair dans les choses et en soi-même. Pour saisir le monde, il faut quitter un temps son contact immédiat et, par la fuite, le retrouver. Ce champ qu'il faut prendre, seule la marche le donne. Le désordre initial se met à mieux bouger, la perspective s'organise, l'œil va librement d'un point de l'espace à l'autre : il situe. Il est enfin possible d'embrasser l'En-dehors et de s'y replacer avec justesse. C'est le type de marche, surtout volontaire, que nous trouvons chez Michel Butor, où il est possible de dire qu'en général la marche rend adulte et apprend à lire. Y voir clair est le résultat d'un lent parcours du désordre vers la lumière.

L'errance-déréliction est au contraire l'expression de l'impuissance à com-prendre, de l'impossibilité de « vivre avec » : elle dit clairement l'inadaptation. Ce n'est peut-être pas un hasard si la tragédie moderne, depuis Kafka, s'exprime surtout en termes d'espace, notamment par la figure du labyrinthe où progresse seul et à tâtons le personnage désorienté. En même temps que le thème de l'incommunicabilité, c'est devenu la tarte à la crème de la plastique, du cinéma, de la critique, et même de l'histoire : on se sert du labyrinthe pour nous aider à comprendre le peuple mexicain, le peuple espagnol, comme hier il servait à Kafka, à Joyce, et même à Brancusi pour esquisser un portrait de ce dernier (1). Le labyrinthe est devenu la banale — parce que la meilleure — traduction de la posture dérisoire d'un individu que le monde engloutit et déroute. Ecrasé ou chassé par une histoire de plus en plus complexe à laquelle il ne saurait plus prendre part, cherchant vainement une porte de sortie, il est radicalement séparé (2). Avec quelques nuances, c'est de cette séparation que rendent compte Robbe-Grillet, dans son premier livre tout au moins, et Claude Simon.

Mais, par ailleurs, Robbe-Grillet veut plus souvent dire, par l'errance de ses personnages, quelque chose de tout à fait différent : sans que l'action de marcher s'accompagne d'une conscience bien nette, le marcheur *en proie au désir* va constamment vers l'objet qui se dérobe, résiste ou même se perd dans le dédale d'un espace confus. Destinée à combler vivement une séparation insupportable, la marche est devenue automatisme fascinant — dans tous les sens du terme — et elle porte avec elle l'obsession de la persuasion. Cette signification quasi-pathologique est celle de nombreuses démarches chez Robbe-Grillet.

« Temps. Succession des temps, écoulement impossible à arrêter » (3) est-il déjà noté dans le premier roman de

---

(1) Octavio PAZ : *Le Labyrinthe de la solitude*. Gerald BRENAN : *Le Labyrinthe espagnol*. On connaît la spirale labyrinthique éloquente dans laquelle Brancusi voyait se résumer le visage de Joyce. Le frère de Joyce, la découvrant, s'écrie, non sans humour : « Mon Dieu, qu'il a changé ! »

(2) et entraîné. Wallas ne peut rien contre l'histoire.

(3) *Le Tricheur*, page 43.

Claude Simon pour qualifier l'Histoire. Que signifie l'errance du personnage sur ce fond d'universel acheminement ? Image du minuscule, elle accompagne le destin commun d'une dérisoire sourdine individuelle. Qu'il s'agisse de ce Tricheur, précisément, qui hésite, tourne en rond, et marche en repassant sur ses traces. Qu'il s'agisse de Bernard, dans *Le Sacre du Printemps,* qui marche beaucoup dans Paris — à pied ou à moto — pour rien, sinon tournant lui aussi en rond en vue d'une révélation qui le fera vieillir, l'immobilisant en quelque sorte. Qu'il s'agisse de Montès, l'anti-héros du *Vent,* qui erre, chaplinesque et têtu dans cet impossible Perpignan où le romancier l'a enfermé. Qu'il s'agisse des protagonistes de *La Route des Flandres* disparaissant au milieu de « la retraite, ou plutôt débâcle, ou plutôt désastre » (4), l'un traînant après soi un bagage qui l'alourdit encore, l'autre allant avec entêtement « comme si ce qui comptait c'était de marcher, que ce fût dans une direction ou une autre » (5). Qu'il s'agisse des révolutionnaires harassés du *Palace,* pantins impuissants : tout ce monde marche à la fois convaincu et sans conviction, et personne n'arrive jamais nulle part sinon à la mort, ou dans le lit d'une femme facile qu'il faudra quitter pour repartir, ou encore à la conscience de l'universelle dérision.

La marche la plus expressive dans toute l'œuvre de Simon, c'est peut-être celle de ces « innombrables noirs et lugubres chevaux hochant, balançant tristement leurs têtes, se succédant défilant sans fin dans le crépitement monotone des sabots » (6) car, on l'aura noté, elle épouse par son nombre et sa dimension cette marche irréversible au néant qui est celle de l'univers tout entier.

---

(4) *La Route des Flandres,* page 16.
(5) *La Route des Flandres,* page 17.
(6) *Id.,* page 42.

L'Etranger dans la ville qu'est Jacques Revel, le personnage central de *L'Emploi du Temps,* éprouve dans la
marche sa qualité d'homme seul, puis sa qualité d'homme
éveillé.

Homme seul, il l'est en arrivant à Bleston, à l'opposé de
cette lumière méditerranéenne qu'il regrette, Bleston qui lui
propose un labyrinthe inextricable, menaçant même, tout en
le sommant de survivre matériellement et moralement. Ce
sont alors, pour trouver un gîte, des « démarches » fastidieuses, « les randonnées harassantes, désespérantes » (7) au
cours desquelles il ressent jusqu'au bout sa condition de
réprouvé, non sans s'y complaire par désespoir, « traînant
solitaire dans quelques-unes des rues les plus sordides de
Bleston, me faufilant comme un chat maigre sous la pluie...
apercevant de loin en loin d'autres longeurs de murs, exclus
comme moi de toutes réjouissances » (8). Dépit amoureux,
désespoir de jamais arriver à apprivoiser la cité tout autour,
classique sentiment d'aliénation, tout cela fait aussi le pouvoir de cette page sombre, étonnante, où nous voyons
Revel partager avec un réprouvé comme lui, le Noir Horace
Buck — doublement rejeté parce que noir et pauvre —,
l'amère solitude d'une pluvieuse après-midi de décembre.
Un autre jour, une rage de dents qui l'avait incité à se
précipiter dehors pour marcher, pour se calmer, devient
— en passant à l'état de comparaison — l'image de ce tourment de la séparation qu'il éprouve physiquement jusqu'au
vertige : « Je me suis enfoncé dans les rues, me hâtant sans
destination, comme tourmenté par une rage de gencives,
tournant et retournant, emprisonné dans ce grand piège
dont la trappe vient de claquer... et comme je longeais
Lanes Park dans le troisième, aux pelouses jonchées de

---

(7) *L'Emploi du Temps,* page 109.
(8) *L'Emploi du Temps,* page 180.

couples, un essaim de mouches s'est mis à bourdonner autour de ma tête ointe de sueur, couronne contre laquelle
je me débattais avec les gestes de celui qui sombre et
tente d'écarter les algues » (9).

Mais, en même temps, c'est un homme éveillé qui marche dans la ville. Sa solitude marchée avec amertume, elle
lui est finalement précieuse pour peu à peu pénétrer les
arcanes de la ville-sorcière, pour, peu à peu, se l'expliquer,
c'est-à-dire la déplier et s'y orienter. L'errance, par le besoin
d'y voir clair, se transforme en marche volontaire... Le
désespoir, à la longue, s'en élimine tout seul : « J'ai marché,
ne me doutant pas que me prendrait cette envie d'errance » (10). Elle est éprouvée physiquement dans sa profondeur, lentement savourée comme un signe de victoire sur
le labyrinthe, justement : « Je revenais solitaire lentement
à pied jusqu'ici (...) lentement, à pied, sans songer que
l'heure tournait, sans songer que le temps passait » (11).
On se doute bien qu'il ne s'agit pas puérilement de tenter,
par la marche lente, de retenir le temps qui passe : c'est
de l'Espace, qu'il faut apprivoiser, auquel il faut s'ajuster.
L'Emploi du Temps, c'est d'abord l'utilisation de l'Espace,
son organisation. La marche est une enquête capitale sur
la position de toutes choses entre elles, de moi par rapport
à elles. Situer, c'est se situer. On ne sera pas étonné, dès
lors, de trouver cette image essentielle sous la plume du
narrateur : « Je déambule, cherchant la raison de moi-
même, dans ce terrain vague que je suis devenu » (12).
Cette réflexion nous aide à mieux saisir combien, dans le
parcours qui mène du désordre désespérant du monde à la

---

(9) *Id.*, page 260.
(10) *Id.*, page 14.
(11) *Id.*, page 129.
(12) *Id.*, page 120.

lucidité sur soi, la marche est nécessaire. Elle est le support
de l'attention. Quand elle s'achève, tout est gagné.

Comment marche-t-on dans *Les Gommes,* ce roman circulaire où Œdipe, Thésée et l'Arpenteur de Kafka se ras-
semblent dans la personne de Wallas, l'enquêteur-assassin ?
C'est naturellement le parcours d'un homme seul, encore :
« Wallas est de nouveau seul, marchant à travers les rues...
Wallas erre à travers la ville, au hasard » (13). La découverte de la cité, pour lui, c'est une marche en aveugle
dans le labyrinthe : à chaque coin de rue, la ville se
ressemble et recommence, au point que marcher droit serait peut-être le plus sûr moyen de s'y égarer : « Est-ce
une disposition particulière des rues de cette cité qui l'oblige
à demander sans cesse son chemin, pour, à chaque réponse, se voir conduit à de nouveaux détours ? Une fois,
déjà, il a erré au milieu de ces bifurcations imprévues, où
l'on se perdait encore quand, par hasard, on réussissait à
marcher tout droit » (14). Non, il faut apparemment continuer en épousant au hasard la forme de ce « labyrinthe
de petites rues » (15). Que faire d'autre dans cette ville-
piège où, bon gré mal gré, l'enquêteur doit trouver son
coupable ? Il est bien un moment question de « se pro-
curer un plan de la ville... tâcher de se reconnaître seul à
travers l'enchevêtrement des rues... » (16). Mais, contraire-
ment au promeneur de *L'Emploi du Temps* qui effectivement
s'aide d'un plan pour mieux lire la ville, ce projet, ici, n'est
pas mis à exécution : il semble qu'une interdiction ait été
prononcée qui empêche Wallas, à tout jamais, de comprendre.

---

(13) *Les Gommes,* pages 171 et 241.
(14) *Les Gommes,* page 137.
(15) *Id.,* page 86.
(16) *Id.,* page 47.

Ainsi, il tourne dans un décor qui, véritablement, ne change jamais : « Autour de lui le décor est toujours le même : le boulevard, le canal, les bâtiments irréguliers » (17). *Les Gommes* livrent là leur aspect équivoque : l'errance y est une marche volontaire, et c'est en même temps le signe privilégié d'une Fatalité. Qu'un peu plus tard le romancier ait refusé la Tragédie n'empêche pas la dérision tragique d'éclairer seule cette démarche où l'on voit le personnage mené, par le lacis des rues, jusqu'à la rencontre de lui-même assassin, alors qu'il était parti enquêteur ! Cette marche en rond aura été révélatrice du vain-triomphant entêtement de Wallas, totalement joué par le piège circulaire qu'il espérait ouvrir. L'Histoire s'est écrite à ses dépens.

Plus rien de fatal, nous l'avons dit, dans la démarche de Mathias, le « héros » du *Voyeur,* qui est au surplus, on le sait, voyageur de commerce. Mais plutôt, dans ce livre, une errance calculée, qui emprunte pour une part à l'érotisme, pour l'autre à une tentative de fascination dont nous aurons certes à reparler. S'il y a labyrinthe, il nous est entièrement imposé par le marcheur. Loin de s'y perdre — à part un instant de flottement —, c'est nous qu'il y veut retenir, ou du moins celui qui tenterait de s'intéresser à son emploi du Temps et de l'Espace... Il ne s'agit donc plus de destin, mais d'intention. Et si l'on sait que cette intention est de dissimuler un viol, il est facile de voir que ce trajet a quelque chose d'obsessionnel et que les démarches innocentes d'un représentant sont maintenant les errances d'un sadique. L'acte accompli, la marche se déguise avec une patience maniaque.

En marge du *Voyeur,* il est d'ailleurs possible de poser cet acte, la marche, dans un espace remarquable. Cette lumière égale et forte baignant le récit, l'absence de relief

(17) *Id.,* page 129.

de cette île qui fuit pour ainsi dire sans obstacle sous le regard : cela inaugure cette célèbre série de décors où le vide semble avoir été fait pour que s'y inscrivent fortement les signes voulus. Nous retrouverons ces éléments dans la nouvelle « La Plage », ils informent *Dans le Labyrinthe,* ils sont, dans *L'Année dernière à Marienbad,* à l'origine du pouvoir de nombre d'images ; on les retrouve, un peu atténués dans *L'Immortelle.* Or, ils semblent liés au thème du parcours : c'est dans cet espace raréfié que l'errance écrit sa trace, devenue alors sur-expressive. La quête de l'objet désiré ou même la simple promenade (« La Plage ») laisse derrière elles le signe ineffaçable pour un temps, puis finalement dérisoire malgré sa force, d'une présence, d'une action, d'une intention : à quoi se résume peut-être toute action. Si elle est viol d'un silence, trace sur une surface lisse ou sur un paysage uni, c'est qu'elle est d'abord ce résultat-là. En gommant tout autour, le romancier restitue à certains gestes, et particulièrement à l'errance, leur *valeur.*

Le mari en cage de *La Jalousie,* s'il marche, c'est silencieusement et en rond. Surtout, il regarde. Mais les pas, les siens ou ceux des êtres qu'il guette, ont une importance : dans l'absence attentive où le roman a installé son espace, ils *trahissent* fortement toute approche ; ainsi du boy qui glisse à travers les couloirs de la maison, ainsi du pas attendu de A. Le silence et la tension — évoquant la lumière et la tension du *Voyeur* et prouvant l'exercice du regard — favorisent la pleine signification des pas guettés.

Quant aux pas inlassablement essayés du soldat qui se perd *dans le Labyrinthe,* ce sont ceux d'un *enquêteur,* comme dans *Les Gommes.* « Je cherche une rue », dit le soldat », une rue où il fallait que j'aille » (18). A cet égard,

---

(18) *Dans le Labyrinthe,* page 57.

l'œuvre épouse — sur le plan de l'événement — le même schéma policier et tragique que le premier roman (19). Pour le personnage errant, il s'agit de retrouver à tout prix cet autre soldat à qui il doit remettre le paquet qu'il porte sous le bras. Mais, en même temps, cette errance est obsession, car elle se déroule en portant un délire où tout se confond, se perd, se ressemble... Bravant la fatigue et la fièvre, le soldat finira par mourir, dissolvant dans sa mort cette marche commencée avec acharnement. Comme dans *Les Gommes,* le décor s'impose comme toujours semblable, et, ainsi que le silence dans *La Jalousie,* la lumière dans *Le Voyeur,* la neige, ici, donne au geste de marcher une expression peu commune : à tel point que les objets et les êtres se donnent au regard avec une vigueur, une sur-détermination quasi-obsessionnelles. Si, ainsi que nous le croyons, un tel éclairage sur-valorisant a sa source dans une esthétique de la fascination (20), voilà une « fiction » hautement fascinante.

On peut en dire autant, sans doute, de *L'Année dernière à Marienbad,* avec la caution même de Robbe-Grillet. Or, sur quelle image, sur quel geste s'ouvrent le film et le ciné-roman qui en est l'origine ? « Une fois de plus... je m'avance, une fois de plus, le long de ces couloirs, à travers ces salons... » (21), etc. Dès le début, marche, érotisme et fascination se trouvent associés. Et cette longue marche à travers les couloirs déserts de l'hôtel, ces pas foulant le gravier du parc et manifestant par leur rythme la volonté de poursuivre ou l'émoi de se savoir poursuivi, tout cela — à quoi

---

(19) De même il y a une parenté certaine — avec des nuances importantes — entre *Le Voyeur* et *L'Année dernière à Marienbad, La Jalousie* et *L'Immortelle.*

(20) Voir étude sur l'œuvre de Robbe-Grillet.

(21) *L'Année dernière à Marienbad* — début.

il faudrait ajouter en marge l'exploitation du symbole psy-
chanalytique : le pied nu et la chaussure — s'achève et
se consomme dans les derniers pas du personnage fascinateur qui dit à l' « héroïne » fascinée : « Je suis venu à
l'heure dite » (22). La marche signifie désir et poursuite :
on le voit bien encore avec les longues et patientes déam-
bulations du protagoniste de *L'Immortelle,* cherchant partout dans un Istanbul labyrinthique cette Leïla déroutante,
même après que l'accident lui dise son échec. Il resterait
à voir si cette poursuite, d'ailleurs, n'est pas tout simplement, privilégiée par le désir, l'expression d'une interrogation générale à l' « autre ». Son caractère maniaque ne
peut pas nous faire douter un instant de sa valeur exemplaire de question.

_____

(22) *Id.,* page 170.

NOTE SUR UNE DISPARITION

Le parcours ne disparaît pas de l'œuvre de Michel Butor après *L'Emploi du Temps,* mais seul ce livre nous permettait de l'étudier sous la forme de l'errance. Par contre, ce qui s'impose avec le train de *La Modification,* puis avec les déplacements urbains et le train dans *Degrés,* la voiture rapide et l'avion dans *Mobile* et les long-courriers de *Réseau aérien,* c'est la rapidité croissante des moyens de joindre un point de l'Espace à un autre en tentant de les faire vivre simultanément dans le Temps. C'est dire la volonté de plus en plus avouée d'organiser ensemble Temps et Espace au point d'y voir chaque élément prendre structuralement sa place en renvoyant à la totalité (1). Cette volonté, dans *L'Emploi du Temps* était encore comme empêtrée dans la résistance que lui opposaient le corps et la mémoire avec leur cortège de questions, d'inquiétudes, de regrets. La marche à pied était la solution artisanale à ce problème de l'attention difficile avec, comme seul instrument noyé d'abord dans l'Espace-Temps confus, un moi enchaîné, occupé avant tout à débroussailler son aire, « parce

---

(1) Organisation de l'Espace et révélation de la totalité d'un lieu faisaient déjà tout le projet de ce livre méconnu : *Le Génie du Lieu.* J'y relève, entre autres indications, cette formule appliquée à la mosquée de Cordoue : « Jamais la conception d'un édifice en tant qu'orientation de l'espace n'a été poussée aussi loin » (page 22).

que c'est en partant d'en bas », comme le dit quelque part
Francis Ponge, « qu'on a quelque chance de s'élever ».
Maintenant l'Espace est vu d'en haut, le Temps est ra-
massé. Le personnage butorien s'est mis de plus en plus
à dominer, à embrasser : deux villes et deux amours, un
quartier et un bouquet de familles, le continent américain,
la terre entière et cet édifice de Saint-Marc qui est en
lui-même un monde : il y a là, en quelque sorte, satisfac-
tion pédagogique donnée au désir de la Totalité saisie. De
l'Espace-Temps péniblement gagné par l'errance dans une
ville, nous sommes passés à l'Espace-Temps universel ras-
semblé d'un seul trait sous l'œil surexcité du voyageur (2).

A partir de cette analyse appliquée strictement à trois
écrivains du Nouveau Roman, il devrait être plus simple
de tirer au clair cette persistance du thème de l'errance
— urbaine ou non — dans la littérature moderne depuis
Joyce, Kafka, jusqu'à des écrivains aussi disparates que
Jean Cayrol et Louis-René des Forêts, Raymond Queneau,
Samuel Beckett ou Claude Ollier. On trouvera peut-être
un élément de réponse dans ces trois attitudes que nous
n'avons fait qu'esquisser ici : la tentative artisanale de
chercher un sens, la course devenue folle par suite de la
perte de ce sens, la fascination érotique ou, plus généralement, la question violente posée à l'autre et traduite par
la poursuite-désir.

---

(2) Un examen de l'œuvre critique de Butor permettait de suivre le
même itinéraire. Les approches d'œuvres consignées dans *Répertoire I* et
l'exploration profonde du rêve baudelairien sont des tentatives individuelles, des contacts de personne à personne. Au contraire, le déchiffrement de saint Marc et l'intérêt manifesté à une peinture comme celle
de Rothko élargissent la perspective et sont le signe d'une interrogation
à l'Espace, qu'il soit réuni dans la pierre ou sur la toile. Enfin, le
pluriel et l'élargissement du livre distinguent, dans l'ordre des préoccupations théoriques, les textes importants de *Répertoire* II.

LE POINT DE VUE DU POLICIER

Cet errant est un inquisiteur. S'il marche, ce peut être pour savoir ou pour faire peur, ou encore parce qu'il a peur. Il y a du policier en lui, il est quelquefois sous la menace du policier.

Chez Claude Simon, guère d'éléments de situation criminelle, donc peu d'enquête. Seuls *Gulliver* et *Le Vent* évoquent, d'assez loin d'ailleurs, le drame policier. Dans ces deux livres, un crime est commis, mais c'est sans suite capitale : dans les deux cas, c'est par une action secondaire, et par le moyen d'un protagoniste d'arrière-plan, et ce qui se développe surtout à propos de ces crimes, c'est une méditation sur le temps et la mort séparateurs.

Il est vrai pourtant qu'on aperçoit des policiers dans *Le Vent*, notamment, et que le livre, né de l'étonnement d'un « témoin » devant l'étrange Montès, baigne à certains moments dans une atmosphère de suspicion révélatrice : cet individu en marge, par sa présence, pose une question, à tel point qu'il est un instant impliqué dans un crime où, bien qu'intéressé sentimentalement, il n'a que faire. Ce n'est pas par hasard si, un moment, un policier le bouscule : en quelque sorte il est suspect, il a une tête de coupable... Mais enfin, il n'y a pas à proprement parler de mystère, la situation policière n'est pas vraiment nouée, elle se contente de distiller une atmosphère, prenante par instants, comme l'est celle que servent à créer, dans *La Route des Flandres* et *Le Palace,* ces deux énigmes un instant capitales : De Reixach est-il mort ou s'est-il « suicidé » ? Qui a tué Santiago ?

Même remarque pour l'univers de Nathalie Sarraute : mais notons tout de suite à son propos que, sans couvrir aucune action criminelle, l'atmosphère n'en est pas moins extrêmement tendue, et cette tension peut susciter une référence à celle qui baigne, dans un roman policier, ce moment où plusieurs personnages ensemble sont confrontés pour l'interrogatoire final. Car, dans ce monde si particulier de l'auteur de *L'Ere du Soupçon,* qui n'est pas finalement soupçonné de quelque chose ? Le personnage central, et souvent d'autres avec lui, est fouillé, traqué, et en tout cas inquiété par le regard d'autrui. C'est pour lui une espèce de police quotidienne qui fait naître en lui ces mouvements de recul, ces déplacements infinitésimaux qui sont justement l'objet de l'attention de la romancière. Dans autrui qui me regarde, c'est comme un policier qui me guette (1). Il s'agit en somme d'une ambiance policière décriminalisée, où rien ne relève de l'ordre de l'événement, mais tout de celui de l'attitude (2).

Dans l'ordre de l'événement, les seuls « vrais » auteurs de romans policiers sont Michel Butor et Alain Robbe-Grillet.

----

(1) Voir l'étude consacrée à Nathalite Sarraute.

(2) Un seul élément contradictoire : une velléité d'enquête dans *Martereau,* où le personnage qui porte ce nom est un moment suspecté d'escroquerie.

Passage de Milan, où l'on retrouve à l'issue de la fête un personnage assassiné, se colore ainsi rétrospectivement d'une forte lumière criminelle. Bien mis en scène, bien « montré », le meurtre de la jeune Angèle se déroule dans une atmosphère de cauchemar qui donne à cette fin une dimension quasi-surréelle à force d'intensité. Mais c'est dans *L'Emploi du Temps* que l'utilisation de l'élément policier est la plus remarquable. On connaît le débat qui est à l'origine du livre. Nouveau venu à Bleston, Jacques Revel a l'impression, en découvrant la ville, d'être la victime de certains sortilèges, en particulier émanant de personnes qui, liées par il ne sait quel secret, ont l'air de comploter sa perte. Et, curieusement, c'est un roman policier découvert par hasard, dont le titre au surplus est *Le Meurtre de Bleston,* qui lui sert de guide, de fil d'Ariane à travers cette ville labyrinthique. Par là même, le personnage se trouve assimilé à un détective attentif. Mais il doit s'y assimiler au point de mener une véritable enquête : précisément, l'auteur de ce roman, qu'il finit par connaître, semble être lui aussi le jouet d'une machination, plus même : d'une tentative d'assassinat. Voilà notre voyageur essayant à la fois de se débattre contre l'emprise de la ville et menant une enquête capitale, puisqu'elle lui donnera sans doute la clé de tout. Finalement, il conclut à une sorte de non-lieu, ce qui éclairera conjointement le mystère de Bleston. A travers le récit patiemment édifié par Revel au milieu de ces événements se dessine donc une attitude policière particulièrement vigilante. Et pourtant la comparaison, ou plutôt le support criminel, va plus loin encore : c'est en effet au roman policier que Butor fait appel pour justifier la technique très particulière de son livre. On sait que, composé après les premiers événements de son séjour mais au fur et à mesure que se déroulent les autres, le roman vise à restituer le double mouvement qui lie l'un à l'autre

le passé que l'on rappelle et le présent qui continue :
« L'auteur du *Meurtre de Bleston* nous faisait remarquer
que, dans le roman policier, le récit est fait à contre-cou-
rant, ou plus exactement qu'il superpose deux séries tempo-
relles : les jours de l'enquête qui commencent au crime,
et les jours du drame qui mènent à lui, ce qui est tout à
fait naturel puisque, dans la réalité, ce travail de l'esprit
tourné vers le passé s'accomplit dans le temps pendant que
d'autres événements s'accumulent... » (3). C'est ainsi que,
tout naturellement, s'impose l'exemple policier pour caracté-
riser le récit qui, à la fois, naît du présent et y ramène
dans un mouvement double d'enrichissement et d'éclaire-
ment.

Pour *La Modification,* elle n'offre pas d'élément policier,
sinon par l'acuité du regard chez le voyageur qui fouille
toujours plus profondément son passé et s'achemine avec
nous vers la découverte de quelque chose de capital : il y
a ici un retour à l'ordre de l'attitude.

Par contre, c'est une enquête qui préside à l'élaboration
sous nos yeux de l'ambitieux *Degrés.* Bien souvent Pierre
Vernier, le professeur d'histoire et géographie qui veut
reconstituer l'Emploi du Temps — et de l'Espace — de
ses élèves autour de cette heure capitale du 12 octobre
1954, se prend lui-même en flagrant délit d' « espionnage »,
et rien ne l'inquiète tant vis-à-vis de son neveu Pierre
Eller, son élève et surtout son « enquêteur » privilégié,
que ce rôle de « mouchard » que malgré lui il lui fait jouer
au milieu de ses camarades de classe : il a beau regretter
cette attitude toute policière d'indicateur qu'il lui fait
prendre, elle l'aide à parachever son œuvre... C'est d'ailleurs sans doute cette compromission avec son oncle qui
dégoûte le jeune homme et le trouble au point que, tout

_____

(3) *L'Emploi du Temps,* page 171.

comme l' « indic » que la fréquentation de la police finit par menacer, il désavoue l'entreprise et rompt avec Vernier... Cette enquête abandonnée par lui, d'autres finalement la reprendront, continuant ainsi ce travail de « mise à la question » du réel qui est celui projeté par le premier narrateur. Ici, comme dans les œuvres précédentes, la force d'exemple du roman policier donne une dimension peut-être limitée mais très nette à cette interrogation, à cet interrogatoire en règle des autres et du monde que constitue l'œuvre de Butor.

Pour Robbe-Grillet, il dit lui-même des *Gommes* : « Il s'agit d'un événement précis, concret, essentiel : la mort d'un homme. C'est un événement à caractère policier, c'est-à-dire qu'il y a un assassin, un détective, une victime. En un sens (4), leurs rôles sont même respectés : l'assassin tire sur la victime, le détective résout la question, la victime meurt » (5). Le détective, c'est Wallas, dépêché par un important organisme de « la capitale » pour résoudre, en effet, le problème de la mort du professeur Dupont : rien là que de très banalement policier. Et la coupe de l'intrigue, certains détails même ont pu faire apparenter l'œuvre au très policier *Rocher de Brighton* de Graham Greene. De même certains personnages ont l'air d'exemplaires de tueurs de la série noire : Bona et Garinatti, cependant que Fabius, le « chef » qui a envoyé Wallas sur les lieux, offre une ressemblance frappante avec le « Patron » cher à Simenon ou le « Vieux » cher à Antoine Dominique. Enfin,

---

(4) Cet « en un sens » a trait, non au caractère policier de la situation, mais à la séparation des trois termes qui n'est qu'apparente puisqu'en effet assassin et détective ne font qu'un : Wallas.

(5) Cité par Bruce MORRISSETTE in *Les Romans de Robbe-Grillet*, page 42.

là comme ailleurs, il y a un « bon » commissaire qui ne
comprend pas grand-chose à l'affaire, puis qui saisit quand
il est trop tard. Il n'est jusqu'aux décors, tel ce bar louche
dont l'atmosphère d'aquarium correspond très précisément
à une description simenonienne, qui n'évoquent les milieux
policiers. En outre, par un raffinement digne d'Agatha
Christie — cf. *Le Meurtre de Roger Ackroyd* — celui qui
s'improvise détective est également le meurtrier. Imaginons
le docteur Sheppard tuant Ackroyd non au début mais à
la fin du roman : c'est en quelque sorte le sujet des
Gommes. Il y a ici, comme dans le roman exemplaire
d'Agatha Christie une double enquête : elle s'exerce à la
fois sur le crime et sur la personne mystérieuse de ce détective très suspect. On peut trouver là une indication : si
Les Gommes portent un roman policier en filigrane, ce
n'est certainement pas en vain (6).

Bien que ne se nouant plus en enquête, l'atmosphère
n'en baigne pas moins certains ouvrages postérieurs au
point de contaminer l'En-dehors par une espèce d'hyper-
signification. Cela était sensible dans *Les Gommes* déjà,
cette présence quasi-hallucinatoire de certains objets, de
certains pans de réel, de certains êtres même, qui se trouvaient comme sur-déterminés par la vision-inquisition du détective. Dans *Le Voyeur,* le tricot de laine, les mégots de
cigarettes, la ficelle qui traîne dans la poche de Mathias,
ce sont des signes policiers, des indices — et des traces
aussi « innocentes » que la marque de l'anneau sur le para-
pet ou le cadavre de grenouille écrasé dans la poussière
en arrivent à avoir la même teneur. Quant à Mathias lui-
même, objet d'une poursuite ou plutôt cherchant à l'éviter,
il brouille les pistes comme un assassin — qu'il est. « Le

---

(6) Bruce Morrissette qualifie cette lecture policière des *Gommes* de
tout à fait superficielle : nous ne le croyons pas.

roman relève de la Troisième Chambre ou de Sainte-Anne »,
a-t-on dit à son sujet (7).

Le mari jaloux et invisible du roman suivant, tel un
détective omni-présent et sur-efficace, observe A., sa femme,
et Franck, l'ami de celle-ci, avec la férocité et l'application
obsédée de certaine vieille fille inventée par Agatha Christie
avec un sens aigu du sadisme et à qui, depuis son obser-
vatoire fixe ou mobile, rien, absolument rien n'échappe (8).
Il y a là une enquête silencieuse et terrible, comme il y a
enquête au centre de *Dans le Labyrinthe,* par le regard et
la parole : ainsi des recherches obstinées, ininterrompues
du soldat pour retrouver le destinataire du paquet, ainsi
de l'interrogatoire qu'il subit, soit de la part de cet enfant
qui est le témoin tenace de son errance, soit de la part
de ceux qui, un moment, l'hébergent, mais devant qui il
élude... « Ces questions sont évidemment celles-là mêmes
que poserait un espion maladroit et la méfiance est natu-
relle en de pareilles circonstances » (9).

En tant qu'enquête et situation, l'élément policier est
absent de *L'Année dernière à Marienbad.* Mais il réappa-
raît, réellement et symboliquement, dans *L'Immortelle* :
réellement, par la présence fugitive des policiers turcs inter-
rogeant machinalement N. sur un accident dont il n'est
peut-être pas irresponsable — celui qui coûte la vie à Leïla —
et symboliquement, par l'enquête-poursuite à laquelle se
livre N sur les deux plans du souvenir et des vraies démarches pour percer le secret de Leïla : il interroge sans
relâche de nombreux témoins sur ce qu'elle était : « Et
vous n'avez jamais su seulement qui elle était, où elle

---

(7) Le mot, rapporté par Morrissette, est d'Emile Henriot.

(8) Sans doute toute observation, d'ailleurs, est-elle essentiellement sadique.

(9) *Dans le Labyrinthe,* page 72.

habitait, comme elle s'appelait ? (...) Mais qui ? Chez qui
était-ce ? Qui la connaissait ? » (10), demande-t-il. En outre,
il s'inquiète de ces éléments de roman policier érotique que
représentent, la suivant presque toujours, cet individu inquiétant porteur de lunettes noires et les deux molosses qui
le flanquent. Pour Leïla elle-même, du début à la fin, elle
est assaillie de questions, elle aussi... L'œuvre entière est
une enquête, sa manière : un interrogatoire, ou, pour reprendre la belle formule de Robert Pinget : un *Inquisitoire*.

Ainsi, des événements proprement policiers, chez Butor ou
Robbe-Grillet, à l'atmosphère policière qui règne chez Nathalie Sarraute, il est en définitive peu d'œuvres qui échap-
pent à la couleur policière du récit.

Le roman policier porte inscrite sa métaphysique dans sa
physique même : la façon dont le détective regarde le
monde qui s'offre à son investigation témoigne d'une conception du monde : le soupçon généralisé. Avant de rendre
évidente la culpabilité d'un seul individu parmi le groupe
qui constitue l'aire de ses recherches, le chargé d'enquête
fait peser son regard accusateur sur la plupart des personnages le plus longtemps possible : équivoque entretenue à
plaisir, par les meilleurs romans policiers, jusqu'à la limite.
Et ce n'est pas seulement un groupe d'êtres qui peut être
soupçonné, fouillé du regard, tenu a priori pour coupable,
c'est aussi un décor, des objets, un objet privilégié, etc.,
enfin, une fraction importante de l'En-dehors. Et le moins
intéressant n'est pas de voir comment les êtres, les choses
même ainsi regardés et mis en cause répondent à cette
accusation : car ce qui égare longtemps les soupçons de
l'enquêteur et, bien entendu, du lecteur avant tout, c'est
de voir chacun, même les innocents, se dissimuler, fuir, évi-

---

(10) *L'Immortelle*, page 126.

ter le regard. Le bon roman policier nous apprend que
tout le monde a quelque chose à cacher, que chacun, même
si ce n'est d'un crime, est coupable.

Or, nous l'avons vu, cette situation n'est pas sans évoquer celle des personnages de Nathalie Sarraute, sans éclairer quelque peu son univers. La ressemblance frappante avec
l'atmosphère policière révèle l'obsession de la faute, le sentiment aigu d'une culpabilité généralisée débusquée par
l'inquisition d'autrui. Le personnage sarrautien, quand il
n'est pas un policier lui-même, est en butte au policier.

Accusé : telle est aussi la condition de certains personnages de Robbe-Grillet, tels le voyageur de commerce du
Voyeur, Wallas dans *Les Gommes,* lui qui, de détective,
est transformé en assassin par le discours fatal des événements. Pourtant, la plupart du temps, le personnage est
enquêteur, voire accusateur. C'est le cas, naturellement, du
mari invisible et présent de *La Jalousie,* c'est même celui
du soldat *Dans le Labyrinthe* qui, s'il est souvent ques-
tionné par autrui, est cependant celui qui cherche inlassablement, fouille, enquête pour trouver ce camarade inconnu
à qui remettre le paquet. Enquêteur aussi, et des plus pers-
picaces, nous avons vu N, dans *L'Immortelle,* mener une
enquête serrée autour de Leïla. Il faut faire une place à
part, dans cette galerie, à ce policier marron qu'est le
« héros » de *L'Année dernière à Marienbad :* par ses
« soins » assidus, sous sa pression sadique, A est littéralement soumise à la question : avouera-t-elle, n'avouera-t-elle
pas sa présence, l'année précédente, avec X, à Marienbad ?
Le rapport personnage-personnage est une torturante recherche de l'aveu ; quant au rapport spectateur (ou lecteur)-
personnages, il se place également sous le signe de l'inter-
rogation-accusation : A est-elle coupable de dissimulation ?
X est-il coupable de supercherie ? Chez Robbe-Grillet, le
monde est mis violemment — ou calmement, suivant le

cas — à la torture. Poursuivi, assiégé par le regard et la parole, c'est comme s'il devait répondre. Interrogatoire fascinant, réponse sybilline : le monde ne peut dire que lui-même. Ne cachant rien, il est innocent. Mais la question demeure, c'est un mouvement policier.

Un commentaire « criminel » de l'œuvre de Butor doit aussitôt s'assortir de la constatation que, chez lui, il n'y a pas de coupable, le premier livre mis à part : il n'y a que des détectives. Et ces détectives sont eux-mêmes absolument innocents : on voit ce qui sépare cet univers aussi bien de celui de Nathalie Sarraute que de Robbe-Grillet. En quelque sorte, si le personnage robe-grilletien est un détective sadique, l'enquêteur selon Butor est un boy-scout. Aussi passionné, certes, mais par le seul besoin de comprendre et de faire comprendre à autrui. Aussi obstiné, mais par le seul désir — parfois désespéré comme on le voit dans *L'Emploi du Temps* et surtout dans *Degrés* — de faire triompher sur un monde qui la menace l'attention porteuse de lumière. Quant à la violence, elle se présente sous les espèces d'un seul cadavre, dans *Passage de Milan* ; car c'est au contraire une assomption que la mort probable de Pierre Vernier, le principal narrateur de *Degrés* : il meurt en « héros » obscur, tué à la tâche sur-humaine d'y voir clair. A l'univers de Robbe-Grillet, dominé par la mort, le viol, le délire, correspond chez Butor un monde qui gagne de plus en plus en lumière, cela grâce à l'action de l'enquêteur globe-trotter dont l'intention est de faire entrer la Création dans l'Ordre. Si les hommes sont coupables, aux yeux de ce policier moraliste, c'est de se complaire dans leurs ténèbres : en Superman lucide, il vise à les en délivrer. Il est d'ailleurs remarquable, à cet égard, que l'atmosphère d'enquête se dissipe tout à fait après *Degrés* : l'attention a gagné sur le désordre, après avoir éclairé le monde, il ne reste plus qu'à l'embrasser.

Peut-être n'était-il pas inutile de dire tout cela pour voir comment, avec une constance remarquable malgré des nuances, l'attitude policière permet de mieux définir la position du personnage par rapport au monde. Soit qu'elles rappellent l'œuvre policière dans l'ordre de l'événement, soit qu'elles se contentent de l'évoquer par les agissements du sujet, ces œuvres dessinent une conduite : questionner fortement, elles vivent d'une intention : révéler. Une esthétique commune, celle du secret. Une démarche commune, le dévoilement. C'est ce que Michel Butor a parfaitement exprimé bien après *L'Emploi du Temps*, éclairant son entreprise et par là même une notable partie du Nouveau Roman tout entier. « Il est donc très important que le roman comporte lui-même un secret. Il ne faut pas que le lecteur sache en commençant de quelle manière il finira. Il faut qu'un changement pour moi s'y soit produit, que je sache en terminant quelque chose que je ne savais pas auparavant, que je ne devinais pas, que les autres ne devineront pas sans l'avoir lu, ce qui trouve une expression particulièrement claire, comme on peut s'y attendre, dans des formes populaires comme le roman policier » (11).

En somme, le Nouveau Roman, c'est le roman policier pris au sérieux.

---

(11) *Cahiers de l'Association internationale des Etudes françaises*, n° 14, mars 1962. Deux œuvres importantes non analysées ici relèvent de cette esthétique : *Le Maintien de l'ordre,* de Claude Ollier et, naturellement, *L'Inquisitoire* de Robert Pinget.

L'ABYME ET LE MIROIR

A l'intérieur de lui-même, il arrive souvent que le roman se répète : soit que l'écho propage une situation, pliant en quelque sorte le récit sur lui-même, soit que le monde des objets se double de son reflet dans le miroir.

C'est à propos des romans de Robbe-Grillet que Bruce Morrissette a bien mis en évidence cette duplication intérieure (1). Ce faisant, il renvoie à André Gide et à son journal (1893, à propos de *La Tentative amoureuse*) : il y est question d'une mise « en abyme » de l'anecdote au cœur d'elle-même, ce qui revient à installer une version du sujet à l'échelle des personnages. Mais cette référence nous laisse un peu sur notre curiosité : les intentions de Gide ne sont pas autrement précisées ni les exemples analysés *pour leur sens*. Or, la phrase de l'auteur d'*André Walter* et des *Faux-Monnayeurs* — deux œuvres qui, avec *Paludes,* vivent de cette esthétique du reflet — est extrêmement intéressante : « J'ai voulu indiquer l'influence du livre sur celui qui l'écrit, et pendant cette écriture même. Car en sortant de nous, il nous change, il modifie la marche de notre vie... Nos actes ont sur nous une rétroaction. « Nos actions agissent sur nous autant que nous agissons sur

---

(1) *Les Romans de Robbe-Grillet,* page 117 et in *Cahiers de l'Association internationale des Etudes françaises,* n° 14.

elles », dit George Eliot... » (2). Ces réflexions, c'est comme
si elles ouvraient directement sur la littérature de la duplication qui leur est de soixante ans postérieure : il nous
suffira de donner comme centre à cette petite étude quelques remarques sur l'utilisation du miroir pour leur conférer toute leur portée.

L'Esthétique du Redoublement donne naissance à ce
qu'on pourrait appeler des situations-échos, ou reflets, remarquables par leur netteté.

On en connaît deux, bien visibles, chez Nathalie Sarraute.
D'une part dans *Le Portrait d'un Inconnu,* où le titre du
livre qu'est en train d'écrire pour nous le narrateur est
également celui d'un tableau sur lequel il médite — tableau doublement anonyme, lui, car il est sans nom d'auteur
et représente, évidemment, un personnage sans nom. D'autre part, le témoin qui écrit pour nous *Les Fruits d'Or*
assiste à des contestations passionnées — celles-là même
qui sont le contenu du roman — autour d'une œuvre qui
s'intitule justement *Les Fruits d'Or...*

Avec Claude Simon intervient ce qu'on pourrait appeler
la dialectique de la reproduction au niveau du récit. Il y a
échange entre l'histoire vécue et rapportée par le narrateur
et cette espèce de reflet que peuvent constituer par exemple
un tableau et une photographie, anciens peut-être, mais aisément superposables au présent. *L'Herbe,* mais surtout *La
Route des Flandres,* sont pleins de ces situations en écho
qui, nées de l'image, vivifient le récit. Dans *La Route des
Flandres,* tel tableau représentant une scène domestique ou
un ancêtre de la vieille lignée des De Reixach éclaire, autant qu'il s'en nourrit, les avatars actuels de la famille :

---

(2) Cité par Claude Martin, in *André Gide par lui-même,* page 65.

il y renvoie, en quelque sorte. Quant au *Palace,* il arrive que certain présent du récit — le morne « après » de la Révolution — laisse apparaître et vivre en filigrane son double actif dans le même décor — le « pendant » de la Révolution — qui s'agite ainsi dans son ombre en double, en écho dérisoire.

Pour Michel Butor, ce chef-d'œuvre baroque qu'est *L'Emploi du Temps* est particulièrement riche en situations-reflets. La position du personnage central, nous le savons, s'appuie sur l'intrigue policière d'un roman bizarre découvert par Jacques Revel : cette bizarrerie se retrouve, précisément, dans les péripéties dont semble être victime ce voyageur « innocent ». Et cette intrigue, à son tour, a son écho dans un vitrail représentant Caïn et Abel, ainsi que sur des tapisseries illustrant l'aventure labyrinthique de Thésée : comme dans certains portraits cubistes, ces fragments brisés se reflétant l'un l'autre finissent par composer un mobile inquiétant où tout bouge... Mais, plus encore que dans les détails de la construction, c'est dans l'intention d'ensemble que ce livre, comme *La Modification,* relève de la mise en abyme gidienne et s'applique exactement aux propos rapportés plus haut. Pour le narrateur de l'une et l'autre œuvre, le Livre, en se faisant, les fait. L'une et l'autre aventure sont un cheminement, *grâce au livre,* hors du tunnel qui, sans lui, les eût gardés dans ses ténèbres endormantes. En écrivant, c'est leur éveil qu'ils ont garanti, en constituant le livre ils ont dévoilé leur portrait dans le miroir jusque-là assombri. On a ici, au niveau de l'œuvre, une illustration frappante de la rétroaction dont parle Gide : plus même, puisqu'il faut parler d'une véritable révélation, en somme d'une création de soi par le soi écrivant : jamais écho n'a été plus plein !

Si nous en revenons, avec *Degrés,* à l'utilisation détaillée du reflet, nous ferons encore la remarque que chacune des tranches du récit, chaque point de vue, fait à la fois écho au point de vue précédent et annonce, en écho, le suivant, cependant qu'à l'intérieur même de ces « parties », les aventures individuelles ont le même rôle d'éveiller des rapprochements, des analogies qui, tous ensemble, renvoient à ce tout multiple qu'ils sont en train de faire naître — ce livre que nous tenons en main. Echos et interférences : c'est la méthode du vaste poème qu'est *Mobile*, avec, dans le détail, au moins une application remarquable du phénomène de duplication : l'homonymie, qui fait qu'un nom de ville en évoque aussitôt un autre, d'autres, ceux de cités éloignées quelquefois de milliers de kilomètres : grâce au bruit en écho que font ces villes, c'est un continent entier qui se met à bouger. On en peut dire autant de *Réseau aérien* : mais la perspective, cette fois, est élargie à la terre entière, de sorte qu'un seul trajet d'avion en appelle un grand nombre d'autres, comme, le premier coup d'archet une fois donné, c'est la symphonie qui, en écho et simultanément, prend corps.

Les situations-reflets, dans l'œuvre de Robbe-Grillet, sont plutôt des indications-reflets, et l'on chercherait en vain chez l'auteur de *La Jalousie* la même architecture intentionnelle qui a fait par exemple la valeur « pédagogique » de *La Modification*. Pourtant, la duplication y atteint à une netteté « sans bavures ». Dans *Les Gommes*, il en est ainsi des « reproductions » (cartes postales, photographies) qui re-présentent à l'œil étonné de Wallas le coin de rue qui l'intéresse, avec cette mystérieuse maison du professeur Dupont. Ainsi des « indications » en forme d'énigmes qui, comme la devinette (3) ou les gommes, accompagnent la

---

(3) « Quel est l'animal qui est parricide le matin, inceste à midi, et aveugle le soir ? » demande à Wallas un mendiant lancinant.

troublante « histoire » de Wallas d'un double à peine équivoque pour le lecteur : le mythe d'Œdipe. *Le Voyeur*
est également construit tout en reflets, dont beaucoup échap-
pent à Mathias alors qu'ils sont très lisibles pour nous :
depuis la légende de l'île et la coupure de journal qui préexistent à son séjour dans l'île et l'annoncent — ou du
moins le reproduisent fidèlement — jusqu'à cette affiche de
cinéma montrant un certain « X » sur le double circuit précisément au moment où le meurtrier qu'il est, anonyme
dans l'île, est en train de nous perdre dans le labyrinthe
qu'il invente pour déjouer ses éventuels poursuivants, tout
cela redouble l'anecdote. Dans *La Jalousie,* A, l'héroïne,
nous parle d'un livre où le triangle classique impose ce
même manège, est fait de cette même situation qui font
le sujet du récit où elle-même est impliquée. De quel « tableau » sort *Dans le Labyrinthe,* avec ses personnages
et leurs conduites, sinon de celui qui, justement, est suspendu à un mur de la chambre où le livre est écrit, inventé
au fur et à mesure, puisé en écho à cette image figée ? On
peut suivre le même processus créateur dans la courte mais
capitale nouvelle « La Chambre secrète », cependant que,
dans *L'Année dernière à Marienbad,* nous n'en finirions pas
de relever les différentes expressions du thème : l'histoire,
dans son ensemble, semble naître en écho à cette scène
initiale (et, ne l'oublions pas, finale) qui se déroule sur le
plateau du petit théâtre et raconte une persuasion en tous
points semblable à celle exercée dans le film — ou le
récit — lui-même. Dans le détail, on peut noter comme
très importante cette reproduction du parc de l'hôtel qui,
à plusieurs reprises, impose dans les couloirs ou dans un
salon sa présence sibylline. Et, en général, comme *L'Emploi du Temps* était, au niveau de l'écriture, l'écho de la
tentative d'y voir clair, *L'Année dernière à Marienbad* est,
sur ce même plan, celui d'une tentative de persuasion.

Dans *L'Immortelle* enfin, le jeune professeur, comme tenté
par le reflet de Leïla, la poursuit dans la ville entière et
joue de cette image, la seule chose qui lui reste d'une aventure vécue comme en songe...

Voilà donc les faits, traces fortement expressives de cette
Esthétique du Redoublement qui nous renvoie à Gide. Mais
cette brève énumération serait assez vaine si nous ne signa-
lions, au cœur de ces œuvres équivoques, la présence fascinante du miroir. Car c'est peut-être par une méditation sur
le miroir que toute analyse du reflet doit commencer. Depuis
le grand miroir du professeur Dupont où Wallas se regarde
et se découvre en même temps que nombre d'objets, jusqu'à
la glace de *L'Immortelle* où le personnage découvre ses
mains et sa silhouette maladroite de « héros » hors du
coup, en passant par le grand miroir de l'armoire à glace
qui, dans la première des trois « Visions réfléchies », nous
livre le spectacle de « La Chambre » : le monde se retrouve
d'abord au miroir, accompagné ou non des personnages.
C'est sans doute là, avant tout, qu'il nous faudra l'interroger.

Comme il nous faudra interroger l'homme au miroir dans
l'œuvre de Claude Simon : c'est là qu'il se rencontre et
se saisit. On parlait déjà dans *La Corde raide* de ce miroir
qui est au centre de *L'Herbe* et de *La Route des Flandres,*
avec son ersatz : le regard d'autrui. Il est encore le lieu
privilégié de l'interrogation égocentriste qui est un des
sujets du *Palace.* Etc. Cette présence du miroir renvoie, on
s'en doute, à une métaphysique, ou a-métaphysique qui peut
nous servir à éclairer toute l'entreprise et rendre compte
ensuite de cette duplication intérieure où le Nouveau Roman
se complaît.

« Nous voyons toutes choses en énigme et comme dans
un miroir » dit Paul Claudel, dans *La Catastrophe d'Igitur.*
Quelle est la fonction du miroir en effet, « cette eau

froide » dont parle d'autre part Mallarmé, dont parle toute la bourgeoise poésie symboliste en proie à ses propres fumées, sinon de *re-présenter* ? Il est facile de rêver sur ce verbe, sur cette action : le miroir présente de nouveau un spectacle par ailleurs familier, et d'un seul coup la familiarité a disparu. Les objets montrent leur autre face, qu'ils me cachaient jusque-là, je découvre en eux un monde absolument neuf existant comme pour soi et en toute innocence. Quant à moi, si je m'y ajoute, j'ai la surprise de me découvrir en objet, pur de toute contamination. Il est permis de penser ici au témoin humain selon Valéry, qui avoue, s'adressant à ce spectacle parfait que le soleil et la mer composent sous ses yeux :

> Je suis en toi le secret changement

ajoutant, pour préciser en quoi cette présence au milieu du monde y est un germe de corruption :

> Mes repentirs, mes doutes, mes contraintes
> Sont le défaut de ton grand diamant (4).

En se retrouvant au miroir, au contraire, l'homme s'y rencontre innocenté, puisque lui-même devenu objet imperturbable. Ainsi la vision est propre, a fortiori quand, le corps ayant quitté le champ du miroir, celui-ci n'adresse plus au regard que les seuls objets : c'est le cas de « Visions réfléchies ». Le monde revient à nous nettoyé par le miroir. Cette attitude n'est pas sans faire songer à la « distanciation » brechtienne. La mise au miroir a bien elle aussi pour résultat ce *Verfremdungseffekt* qui, supprimant la connivence, fait appel chez le lecteur, comme chez le spectateur,

---

(4) In *Cimetière marin*.

à la qualité première d'un esprit attentif : l'étonnement.
Cela est le résultat d'une séparation sentie ou voulue comme
telle. Cet étonnement, on le retrouve, il fallait s'y attendre,
dans la réduction phénoménologique que Merleau-Ponty,
après Husserl, fait coïncider avec une découverte toujours
étonnée, en quelque sorte toujours *à neuf,* de l'En-dehors.

Cette expérience du monde se constituant pour notre
étonnement dans le miroir limpide, elle est si forte, que,
voulût-il rejoindre ces objets séparés et trahir ainsi sa première intention, le miroir chasse l'homme. « Et sans doute
à cause de l'ivresse », avoue un personnage de *La Route
des Flandres,* « impossible d'avoir visuellement conscience
d'autre chose que cela cette glace et ce qui s'y reflétait à
quoi mon regard se cramponnait... », cependant qu'ailleurs
maint personnage, se trouvant face au miroir, y regarde un
étranger, comme il arrive au protagoniste de *L'Immortelle,*
des *Gommes,* comme c'est le cas encore du personnage qui,
chez Nathalie Sarraute, aperçoit une image inquiétante de
lui-même dans l'œil d'autrui qui le dévisage.

Par cette surface innocente qui me donne le monde à
neuf, moi compris, un univers m'apparaît donc qui ne renvoie qu'à lui-même. On a pu découvrir, là, à notre avis
superficiellement, la tentation angélique d'une image du
monde pour toujours dépouillée de l'homme. Il faut y voir
plutôt, dans la perspective d'une saisie de l'En-dehors qu'aucun des romanciers en question ne saurait prétendre objective, du moins l'effort le plus honnête et le plus radical à
la fois pour constater le monde et le laisser, enfin, paraître.

On comprendra peut-être mieux alors la raison de cette
duplication intérieure par quoi l'œuvre, souvent, se présente
à nous, et que les reflets dispersés que nous avons relevés
çà et là renvoient tous à une « théorie » générale qui se
livre plus facilement après avoir subi l'interrogation du

miroir. Se regardant, s'appelant en écho dans notre attention lisante comme le monde se regarde et se cite dans le
miroir, l'œuvre nous apparaît comme sa seule instance. Le
redoublement en effet — que le témoin en soit le lecteur
ou un personnage privilégié — est cette action qui vise à
nommer ou à considérer *également* la geste vécue ou dé-
battue par les individus et le livre achevé qui est le résultat
de cette geste : de sorte que, au cours de l'œuvre, par
notre position et notre action réfléchissante qui nous constituent — ou constitue un personnage — en miroir qui
transmet, en relais de cette dialectique, il y a existence l'une
dans l'autre et échange de l'expérience écrite à l'expérience
vécue. Cette attitude est bien nette dans *Les Fruits d'Or,*
c'est également celle qui se révèle dans *La Modification* et
dans *L'Emploi du Temps* plus encore, puisque ces livres
sont en même temps les événements vécus par le personnage et, à notre usage, le compte rendu de ces événements.
Quant à l'œuvre de Robbe-Grillet, on sait qu'il a revendiqué pour elle, après *Les Gommes* et *Le Voyeur,* le privilège d'être prise au pied de la lettre : l'écriture, si elle naît
de la présence d'un monde En-dehors, veut être la seule
réalité du livre. Le monde s'y livrera donc au miroir d'une
manière privilégiée.

Se donnant comme objet limité par son propre reflet :
le double, l'œuvre nous apparaît ainsi comme sa propre fin,
sa propre leçon : le monde saisi par le livre, en constituant le livre, se constitue lui-même. Rien d'étonnant à ce
que ces deux dimensions — l'écriture, l'En-dehors — soient
celles de cet univers qui est entre nos mains, l'une se donnant
comme réponse à l'autre. Où est le monde ? Il se fait difficilement par l'attention qui a écrit le livre. Qu'est-ce que ce
livre que je lis ? Un essai d'approcher humblement le monde
en l'écrivant. Tout est écho, reflet, dans cette recherche où
nous sommes relais et miroir, et par là-même il est clair que

tout est recherche. L'En-dehors ne peut exister que dans cette recherche qui le suscite et lui fait écho : le monde, c'est la recherche du monde. Il se donne, plus, se fait par l'écriture, cependant que l'écriture elle-même ne peut que nous renvoyer à cette création dont elle est responsable. Ici, nous sommes au-delà de la « rétroaction » gidienne (5). Le livre ne me fait pas après que je l'ai fait : je fais le livre en me faisant. L'En-dehors ne se révèle pas d'abord, pour me changer ensuite par le livre qui en parle : il se fait au fur et à mesure dans le livre qui le parle. Parler des *Fruits d'Or,* c'est aussi écrire le livre qui s'appelle *Les Fruits d'Or.* Ecrire *L'Emploi du Temps,* c'est aussi et en même temps le vivre. Ainsi le monde naît par la parole qui le cherche comme je nais à lui. Et cette hésitation gagnante qui porte son objet en abyme, c'est l'écriture.

---

(5) Il faudrait plutôt faire appel à cette autre duplication que constitue pour Francis Ponge « le Soleil placé en abyme ». Son lever « à l'horizon de la littérature » c'est le double du soleil, mais *obligé* par l'arrangement des mots : il témoigne, à travers le langage, pour l'homme. Ce double est suscité par son pouvoir.

II

QUATRE ŒUVRES

NATHALIE SARRAUTE OU L'INTIMITÉ CRUELLE

La réalité pour le romancier, c'est ce qui n'est pas encore connu, ce qui est encore invisible, qui par conséquent ne peut être exprimé dans des formes déjà utilisées et connues, et qui exige la création de nouveaux modes d'expression, de nouvelles formes. Paul Klee a écrit . « L'art ne restitue pas le visible, il rend visible. »

(Le Monde, 21 sept. 1963.)

« On n'a pas encore découvert », dit un personnage du *Planétarium,* « ce langage qui pourrait exprimer d'un seul coup ce qu'on perçoit en un clin d'œil : tout un être et ses myriades de petits mouvements surgis dans quelques mots, un rire, un geste » (1). Voilà exprimé sur le vif, en quelque sorte dans la situation même, ce que la romancière avoue, en son nom, de son dessein :

« L'objet de ma recherche, ce sont certains mouvements qui préparent nos paroles et nos actes, ce que j'ai appelé les tropismes... » (2). Et, précisant ailleurs la nature de ces

---

(1) *Le Planétarium,* page 39.
(2) *La Nouvelle Critique,* nov. 1960.

tropismes, elle dit : « Des mouvements à l'état naissant, qui
ne peuvent pas encore être nommés, qui n'ont pas encore
accédé à la conscience où ils se figeront en lieux communs,
forment la substance de mes livres » (3). Dans ce même
texte, elle ajoute d'ailleurs : « Cet invisible, de quoi est-il
fait ? D'éléments inconnus, épars, confus, amorphes, de
virtualités, de sensations fugaces, indéfinissables, écrasées
sous la gangue du visible, du déjà connu, du déjà exprimé,
du conventionnel... » (4). Autant de déclarations d'intentions qui, se précisant les unes par les autres et donnant
avec insistance les raisons de Nathalie Sarraute, nous font
bien sentir ce que son travail de mise au jour a de
conscient, de volontaire. Il s'agit, c'est net, d'une littérature
intentionnellement myope et d'investigation détaillée, dont
le but est la révélation de cet informulé ultra-sensible, qui
se solidifie en passant dans le moule de l'expression-geste,
informant le langage et l'attitude. La littérature qui dit
cela est donc d'avant l'expression, ou plutôt de cet avant-
l'expression qui mène à l'expression : « La conversation
pour moi n'est que l'aboutissement d'une sous-conversation » (5). De ce qui est amorphe et invisible, on débouche sur le visible. L'œuvre, c'est faire et refaire le chemin
de ce qui est confus à ce qui est dur. Plongés avec les
personnages dans les profondeurs bien cachées de la conscience qui se parle ou qui fuit, nous émergeons avec eux
vers l'évidence de la conscience qui parle ou affronte. Telle
est l'entreprise.

Mais, placer l'œuvre sous le signe de l'expression, c'est
faire d'elle le lieu privilégié où va se révéler le rapport
moi-autrui. Dans la mesure où le langage est en effet cette

---

(3) *Tel Quel*, n° 9.
(4) *Ibid.*
(5) *Les Lettres françaises*, n° 764 — et « Conversation et sous-conversation » in *L'Ere du Soupçon*.

propriété commune, ce moule conventionnel où tous ces sous-moi viennent perdre leur spécificité ou du moins la fondre en commun dans le langage pour tout le monde qui est un refuge pour chacun, dans cette mesure l'œuvre dénonce la relation que j'entretiens avec ceux à qui je parle. Avec ceux à qui, en parlant, je me montre ou me cache. Cette mise à nu du moi obscur et le chemin qu'il parcourt vers l'expression, c'est une mise à nu de l'intimité.

Au hasard d'un de ces échanges qui mènent de la sous-conversation à la conversation et font l'essentiél de l'œuvre, on relève, dans *Les Fruits d'Or,* s'appliquant à l'observation des êtres : « Ces choses-là — vous devez m'en croire — sont de la plus haute importance. Avec donc un peu de courage, venez donc un peu plus près, vous allez voir... Il suffit de saisir le plus faible indice et ne pas le lâcher... Vous ne pouvez imaginer jusqu'où, jusqu'à quels trésors cachés on est conduit quand on s'aventure ainsi, tenant le fil d'Ariane dans sa main... » (6). La première attitude, envers autrui, c'est donc de l'observer, de prendre sa mesure, et, pour cela, de s'approcher. Mais, cette observation, cette approche, à en juger par les termes qui désignent ces manœuvres, c'est une sorte d'inquisition : il faut chercher le secret qu'on dissimule et descendre dans le labyrinthe sans négliger le moindre indice — mot révélateur — car sans doute le plus petit signe est important pour qui veut posséder la vérité tout entière. Voilà d'un seul coup privilégié le regard comme instrument d'enquête et d'investigation policière. De loin, comme de près, cette conduite nous semble dominer la recherche de Nathalie Sarraute et donner à l'œuvre son accent. C'est d'ailleurs en termes d'enquête

(6) *Les Fruits d'Or,* page 96.

que les personnages parlent d'eux-mêmes : mieux connaître, c'est percer à jour : « Il faut prendre patience. *Epier,*
Les voir se détendre faiblement, par d'à peine perceptibles
mouvements — ceux de l'amibe sur sa place de verre —
et se reprendre presque aussitôt » (7). Je guette autrui, il
se recule : le couple est noué, c'est la relation essentielle
instaurée dès le premier regard, et ce rapport-traumatisme
laissera sans nul doute ses traces dans l'expression qui le
solidifiera. Qu'est-ce en effet qui me force au langage ?
Autrui : soit que je me découvre à lui, soit que je m'en
cache — et lui, de même. Ce dévoilement est problématique
à tel point que le livre est souvent la description entre les
personnages d'un jeu de cache-cache : les masques qu'ils
revêtent et s'arrachent, leur séparation et leur con-sentement. De *Tropismes* aux *Fruits d'Or,* la relation moi-autrui
est parfois violente, toujours méfiante (8).

Dans cette perspective, on n'en finirait pas de relever, de
la première œuvre à la dernière, les signes évidents d'un
vocabulaire de l'inquisition agressive : flairer, fouiller, sur-

---

(7) *Portrait d'un Inconnu,* page 150. C'est moi qui souligne.
(8) Ce dessein doit nous permettre de mieux apprécier l'effort technique de la romancière qui, avouant sa « mauvaise foi », ne dissimule
pas qu'elle s'est placée au bon endroit pour voir et, de là, nous dire
ces mouvements secrets qui annoncent le contact : « Pour arriver à
reproduire ces actions, ces mouvements, il a fallu que je place aux limites
de la conscience du personnage une conscience plus lucide que la
sienne... » Ce parti pris justifie également que nous n'ayons pas affaire
à des « histoires », mais à des situations. Qu'il soit question de « mouvements », non d'intrigue : « L'intrigue ne me sert que comme un
bâti léger qui retient ensemble ces mouvements, les empêche de s'épar-
piller en tous sens... » Enfin, que l'étude traditionnelle des « carac-
tères » le cède à l'anonymat : « Le personnage en tant que tel (son
caractère, sa situation) ne présente pour moi d'autre intérêt que d'être
le support de ces mouvements, le lieu où, à un moment donné, ces
mouvements se développent... » (Citations extraites des *Lettres françaises,*
n° 764.)

prendre, guetter, saisir, indice, aux aguets sont les mots-force de cette chasse à la personne d'autrui (9). Il s'agit là d'un thème qui court à travers tous les récits : avec *Tropismes,* livre court mais violent, ce mouvement est net, vif : « Elle avait compris le secret. Elle avait flairé où se cachait ce qui devait être pour tous le trésor véritable... Comme un cloporte, elle avait rampé insidieusement vers eux... Dans les recoins les plus secrets, dans les trésors les mieux dissimulés, elle fouillait de ses doigts avides » (10). Il ne s'agit pas de quelque entreprise répugnante, mais bel et bien de la connaissance d'autrui. On notera la force des images pour qualifier ce que, sous d'autres « cieux » romanesques, on appellerait pudiquement investigation psychologique ou tout simplement attention. Cette observation prend toutes les apparences de l'agression, de l'effraction. S'il y a enquête, elle ne saurait être que violente, semble-t-il, et prédatrice. C'est qu'il faut profiter d'un instant d'inattention, saisir la défaillance au vol, car, si l'enquêteur est perspicace, la « victime », elle, est vigilante : « Prudence. Ils sont prudents. Ils ne se risquent jamais bien loin. Il faut les épier longtemps avant de percevoir en eux ces faibles tressaillements... Il faut les guetter longtemps, tapi à l'affût, avant de les voir bouger » (11). Cette espèce de viol par le regard, cela ressemble à s'y méprendre à l'acharnement facile du bourreau sur sa victime, cela évoque irrésistiblement le jeu du chat et de la souris : muet, sadique. « Tourner autour d'eux, cherchant avec un acharnement maniaque la faute, la petite fissure, ce point fragile comme la fontanelle des enfants » (12). Ici, le déchaînement de

---

(9) Il faudrait étudier la thématique de l'ordure dans l'œuvre de Nathalie Sarraute pour en tirer tout profit.
(10) *Tropismes,* pages 69-70.
(11) *Portrait d'un Inconnu,* 149.
(12) *Id.*

la poursuite sadique — ou sadomasochiste — révèle ses
dessous inquiétants : la complaisance à l'ordure, cet inavouable attachement pour l'intimité de la victime : la plus
secrète intimité si mal défendue au regard tout-puissant du
policier : « Comme les chiens flairant toujours le long des
murs des odeurs louches, connues d'eux seuls, le nez collé
à terre, elle flaire, sans pouvoir s'en détacher, les hontes ;
renifle les sous-entendus ; suit à la trace les hontes cachées. »
Et, cependant que le bourreau-voyeur se livre à son jeu
favori, persuadé que celui ou celle qu'il regarde a quelque
chose à cacher, en quelque sorte est coupable — « Innocent
en apparence seulement, sans doute. Car ils ne sont jamais
innocents, ceux-là, au-dessus de tout soupçon » —, la victime, elle, se dissimule du mieux qu'elle peut : la guerre
est déclarée, il lui faut, sous ce regard, tâcher de rester
calme ; mais, derrière cette application, on devine la peur
de se trahir : « Rien en moi qui puisse la mettre sur ses
gardes », se dit un personnage ainsi guetté, « éveiller tant
soi peu sa méfiance. Pas un signe en moi, pas le plus
léger frémissement... »
    Le mot s'impose : ce monde de vus-voyeurs est un uni-
vers de la méfiance généralisée. C'est l'ère du soupçon. Car
personne n'est innocent, et de plus en plus à mesure que
l'œuvre avance, il s'avère que chacun, à l'égard d'autrui,
peut jouer le rôle du bourreau : pas un être qui n'ait
quelque chose à cacher, pas un qui ne puisse exercer un
pouvoir sur celui qui se dissimule. Notons cependant que
les personnages victimes, les « enquêtés », sont davantage
cernés et mis en lumière, qu'ils constituent par rapport au
clan diffus et nombreux des bourreaux une minorité héroïque et pitoyable située au centre de ce monde de la méfiance. C'est cette mince cohorte de souffre-douleur privilégiés qui semble donner raison à qui voit dans l'œuvre une
structure paranoïaque. Mais il faut passer outre à ce repro-

che pour nous demander si l'intimité, c'est cela : cette peur fondamentale qui vient d'autrui : quand il me regarde, me cherche, enquête sur moi.

Dans cette opération qui sépare, me fait sentir ma qualité d'autre, me juge et peut-être me condamne, l'œil est une arme terrible : « Elle est tapie au fond de son antre, gardienne de rites étranges, prêtresse d'une religion qu'il déteste, dont il a peur, fourbissant inlassablement les objets de son culte. Son œil excité de fanatique scrute sans cesse leurs surfaces polies... Dans un instant cet œil auquel rien n'échappe va se poser sur lui, l'examiner... » (13). Sous cet œil implacable — qui n'est pourtant que le regard de qui vous dévisage — on chercherait en vain l'attitude affable, « accueillante » ... non, il semble impossible de trouver un bon regard chez Nathalie Sarraute : là où il y a regard, il y a réprobation, et le regardé, c'est « un papillon qui se débat affolé dans la lumière aveuglante des phares » (14). Autant dire qu'il subit la fascination, et que cela est aussitôt traduit par son attitude de personnage « agi » : « Toujours fixés sur elle, comme fascinés, ils surveillaient avec effroi chaque mot, la plus légère intonation, la nuance la plus subtile, chaque geste, chaque regard » (15). Dans ce jeu cruel, il s'établit un lien très fort qui, tout naturellement, évoque les cas rebattus de fascination animale : c'est que rien ne l'exprime mieux en effet : « Elle était effrayante, douce et plate, toute lisse, et seuls ses yeux étaient protubérants » (16). Dans *Tropismes,* autrui est un serpent. C'est d'ailleurs à l'hypnotisme que, de temps

---

(13) *Le Planétarium,* page 170.
(14) *Id.,* page 117.
(15) *Tropismes,* page 87.
(16) *Id.,* page 58.

en temps, il faut faire appel pour rendre totalement compte
de ce pouvoir. Dans *Le Planétarium,* il est question d'un
courant qui, sorti d'un personnage, refoule dans son interlocuteur toute pensée, toute parole ; c'est ainsi que, dans
Martereau, de façon plus nette encore, on trouve la même
référence à une espèce de télé-influence pour classer certain regard contraignant : « Un courant sortant d'elles, des
ondes invisibles, puissantes, comme celles qui gouvernent
les avions à distance, dirigent tous ses mouvements... Il
ploie, se redresse, avance, recule, frétille, se tord » (17).
Dans ce même roman, il est dit plus loin qu'autrui peut
faire de moi un pantin, tellement, à force de m'observer,
il me tient à sa merci et me manœuvre (18). Ce que ce
regard dénonce, de façon presque monotone tant cela est
partout sous-entendu, c'est en quelque sorte une universelle
culpabilité. Il traque une faute : le monde se trouve ainsi
divisé en victimes et bourreaux. Du côté du bourreau, cela
donne : « Elle reste devant moi sans bouger, elle se tor-
tille seulement un peu, il me semble qu'elle tremble très
légèrement » (19). Du côté de la victime : « Il est un insecte épinglé sur la plaque de liège, il est un cadavre étalé
sur la table de dissection et son père, rajustant ses lunettes,
se penche » (20). C'est, devenue quotidienne et appliquée
à chacun, l'aliénation de la Métamorphose selon Kafka.

L'homme est réduit à l'état de chose vue. Mais, si par
le seul regard qu'il fixe sur moi, autrui a le pouvoir de
me réduire, il peut aussi me sauver. Un seul regard bienveillant — dont la rareté me fera sentir la domination sous
laquelle je vis —, une seule bonne lueur dans un regard :

(17) *Martereau,* page 53.
(18) *Id.,* page 180.
(19) *Portrait d'un Inconnu,* page 33.
(20) *Le Planétarium,* page 151. Cf. aussi *Les Fruits d'Or,* page 169.

c'est une timide allégresse... et la victime peut à bon droit se féliciter de ce que son bourreau l'ait, pour cette fois, épargnée : « Il va se retourner, le voilà qui se retourne, impossible d'affronter cela, fuir... se cacher (...) Mais quelque chose dans l'œil a bougé, vacillé, on dirait qu'une douce lumière accueillante s'est allumée... » (21). L'autorité qui émane de ce regard affole, on comprend dès lors qu'elle rencontre chez son objet — le regardé — une soumission totale aussitôt qu'elle se nuance d'un semblant d'humanité. Un rapprochement est alors esquissé, et bientôt la victime est tout entière dévouée à son bourreau : « Il posait sur moi un regard sans curiosité, tranquille et plutôt bienveillant. Pas le moindre tremblement en moi. Pas le plus léger désarroi. Aucun bond en arrière, en avant. Aucune hésitation. Les sujets en état d'hypnose, lorsqu'ils exécutent les mouvements qui leur sont commandés, doivent avoir cette sensation d'aisance surnaturelle, que j'éprouvais tandis que sous ce regard plein d'une attente paisible et confiante, je me soulevais comme il se devait, traversais la salle d'un pas assuré, sans ralentir ni me presser et m'approchais d'eux » (22).

Plutôt, en effet, que de subir la condition hyper-kafkaïenne de « gardé à vue... suspect », plutôt que de supporter qu'« une présomption terrible pèse sur lui » et de lire dans le regard des autres que « son casier judiciaire porte une grave condamnation » (23), le personnage sarrautien n'a qu'une seule ressource : se joindre à ces êtres qui le persécutent au pluriel car il est seul. « Ils », « elles », sont les pronoms qui reviennent le plus souvent dans le travail de dénombrement des bourreaux-regardeurs, à tel point que

(21) *Le Planétarium*, page 180.
(22) *Portrait d'un Inconnu*, page 223.
(23) *Les Fruits d'Or*, pages 73 et 75.

l'idée de cercle finit par s'imposer comme la meilleure expression de cette torturante et multiple présence. L'image était déjà contenue dans cette admirable dernière page de *Tropismes* où le personnage cherche à fuir et briser en pensée l'oppression écrasante des maisons, des personnes, des regards assemblés, tout cela le sollicitant de rester, de se constituer prisonnier, enfin de s'avouer vaincu en acceptant la loi de la moyenne. Le cercle se dessine encore dans *Les Fruits d'Or,* avec force : « On l'entoure. Leurs regards la lapident. Elle est repoussée, expulsée. Le cercle des fidèles se referme » (24). Ou bien : « Leur cercle se resserre, tous les yeux sont fixés sur lui (...) : la loupe enfoncée dans l'orbite de l'œil, ils se redressent et le regardent... » (25). Cérémonial quasi initiatique où le cercle des assis cherche comme à absorber l'individu, à l'avaler, à le néantiser, quitte à le rejeter brutalement, avec dégoût, s'il se refuse à l'opération. Sommes-nous près de l'univers de la folie ? Est-ce plutôt l'expression myope et imagée d'un réel très quotidien ? Le ressassement, le piétinement halluciné dans cette atmosphère coupable disent en effet que la présence et le regard d'autrui m'imposent une séparation traumatisante, me rejettent dans un éloignement insupportable. Comme dans ces cauchemars qui traduisent la distance affective par un espace infranchissable, il s'est installé ici, comme dit un personnage en proie, lui aussi, « au pluriel » : « L'immense distance où ils se tiennent et d'où ils me voient, pris, enfermé tout entier dans le champ de leur regard » (26).

---

(24) *Les Fruits d'Or,* page 124.
(25) *Id.,* page 163.
(26) Alain, le personnage central du *Planétarium,* tient la sous-conversation suivante face à Germaine Lemaire, son écrivain admiré, qui le ridiculise par une mimique condescendante, indulgente : « Non, maîtresse, non pitié, ne me vendez pas, ne me mettez pas aux fers, ne me faites pas crever les yeux, daignez siffler vos chiens, je vous en supplie » (page 160).

Cette distance, pour que le calme se refasse, il va sans doute falloir la combler.

Double du héros de la Métamorphose kafkaïenne déjà citée, un personnage des *Fruits d'Or* nous est présenté ainsi : « Il se débat comme un insecte qu'un souffle a renversé et qui bat l'air de ses petites pattes affolées, cherchant à se raccrocher » (27). Cette image nous livre la clé de la conduite compensatrice : le désespoir cessera quand il y aura eu contact serré. Ce chemin que la présence et le regard cruel d'autrui allongent par plaisir, est-il possible de le refaire autrement qu'en se raccrochant à lui ? Ce sera la problématique de l'œuvre. Pour les âmes fortes, la question se posera un peu autrement il est vrai, confirmant malgré tout la toute-puissance des « autres » : cette distance, faut-il ou ne faut-il pas la refaire ? De la solitude ressentie avec douleur ou fierté, on ira ainsi vers l'approbation d'autrui, ou vers sa réprobation. « Je ne pouvais pas supporter que les ponts soient coupés », dira un personnage des *Fruits d'Or,* cependant que d'autres, dans ce livre et les précédents, essaient, tel le « héros » du *Planétarium,* de résister jusqu'au bout au désir de combler l'espace. On assiste alors à des luttes violentes, et aussi à des « effondrements », à des acquiescements spectaculaires (28). De *Tropismes* aux *Fruits d'Or,* il n'est question que d' « apaiser autrui », de l' « amadouer », de « sourire aimablement », d' « acquiescer », de « se rallier ». C'est le moment dialectique où se fait jour l'obsession du contact. Soit qu'Autrui m'ait dès l'abord refusé, soit qu'il m'ait déjà intégré puis rejeté, il faut que je le rejoigne et, pour cela, le touche :

---

(27) *Les Fruits d'Or,* page 169.
(28) Comme celui de ce personnage de *Tropismes :* « Oui, oui, oui, oui, c'est vrai, bien sûr » (page 57).

« Je ne peux pas supporter de me retrouver seul comme
avant, de recommencer à errer sans soutien, titubant, ballotté
de tous côtés. Je ne veux pas vous quitter, vers vous je
tâtonne... Voilà, je crois que j'y arrive, j'ai saisi quelque
chose, vous êtes là, je vous touche... » (29). Et c'est ainsi
que s'expliquent toutes ces images qui, du simple contact
physique à l'hystérie, illustrent la sous-conversation, nous disent cette soif de contact humain, comme si la distance entre
autrui et moi était péché originel. En face des autres et
sous leur regard, le moi est seul, en pleine faute, sans dieu.
Celui qui peut s'en passer — pour combien de temps ? —
est un « fort » : « Je vous admire quand vous refusez le
contact, quand vous vous tenez à l'écart », est-il dit dans *Les
Fruits d'Or* d'un personnage réticent qui, lui, essaie de
supporter la solitude et la réprobation (30).

La mimique de l'approbation, elle, est éloquente : on se
contorsionne, on sourit, on grimace son accord sans conditions jusqu'à éprouver cette « crampe de la politesse »
— admirable trouvaille — dont il est question dans *Martereau* (31) et qui raidit les visages, les éternisant dans une
expression de servilité crispée. Il faut danser, jouer son
rôle de courtisan, et cette entreprise de séduction peut être
épuisante. Au sein de la prostitution, il faut encore de la
maîtrise de soi : « Quel épuisement, mon Dieu ! Quel
épuisement que cette dépense, ce sautillement perpétuel devant lui », s'écrie un personnage de *Tropismes,* ajoutant :
« En arrière, en avant, en avant, en avant, et en arrière
encore » (32). D'autres fois s'impose le sentiment écœurant
de se vendre à autrui, en allant ainsi à lui : mais, sachant

(29) In *Les Fruits d'Or,* page 153.
(30) *Id.,* page 29.
(31) Page 223.
(32) *Tropismes,* page 29.

d'autre part que ce contact est indispensable, inévitable, l'individu est partagé, déchiré même, jusqu'à ce que les images délirantes qui se lèvent en lui l'entraînent fatalement vers le soulagement du contact : « Dans la salle commune des femmes échevelées aux longues mèches rêches se frappent la poitrine, grimacent, rient, soulèvent leurs jupes, montrent leurs cuisses grises, agitent leur arrière-train, des femmes, le bras tendu au milieu du tintamarre, restent immobiles, figées comme au jeu des statues, catatonie, épilepsie, camisole de force, douches, coups, féroces gardiens... Mais cela ne fait rien, cela ne compte pas, je n'ai pas peur, je veux que vous me disiez... » (33). L'humiliation qui fait naître ces images affolées, ces divagations féroces, cette autopunition délirante n'empêchera pas le contact d'avoir lieu : au contraire, lui seul, maintenant, peut apaiser ce délire, qu'il a déclenché. Et, la distance une fois franchie, les compromissions acceptées, ce contact-prostitution installe une certaine paix : « L'abcès a crevé, la croûte est entièrement arrachée, la plaie saigne, la douleur, la volupté ont atteint leur point culminant, il est au bout, tout au bout, ils sont arrivés au fond, ils sont seuls tous les deux, ils sont entre eux, tout à fait entre eux, ici ils sont nus, dépouillés, loin des regards étrangers... Il se sent baigné de cette douceur, de cette tiédeur molle que produit l'intimité » (34). Mot capital qui nous confirme bien que l'œuvre entière est une problématique de l'intimité.

Quelle est, alors, cette paix gagnée par le contact quasi-désespéré avec l'autre ? Quel nom donner au résultat de ces manœuvres complexes ? C'est la complicité. Le contact a fait naître une complicité douceâtre, qui, maintenant, va représenter un *abri*, à deux, comme dans les lignes précé-

---

(33) In *Les Fruits d'Or*, page 22.
(34) *Portrait d'un Inconnu*, page 199.

dentes, ou à plusieurs. C'est le cercle, dont tout à l'heure
encore j'étais exclu, et dans lequel, désormais, je peux me
laisser engluer avec délices. Victoire contre la solitude, défaite pour la fierté. Car, on l'a vu, tout contact, aussi nécessaire qu'il soit, est un peu dégradant. D'un côté, le personnage sarrautien aspire à se « trouver lui aussi en lieu
sûr, blotti douillettement contre lui (autrui) dans son refuge » (35), d'un autre côté, il éprouve une certaine répu-
gnance à cet attouchement, à cette connivence. Au sein
même de la paix qu'elle lui fait goûter, il n'oublie pas que
c'est une tentation à laquelle il a cédé, à laquelle il a dû
céder : « Et peu à peu, une faiblesse, une mollesse, un
besoin de se rapprocher d'eux, d'être approuvée par eux
la faisant entrer avec eux dans la ronde... Ah ! nous voilà
enfin tous réunis » (36). A cet égard, la fin du *Portrait d'un
Inconnu* est révélatrice : le livre entier nous montrant de
façon exemplaire ce jeu de cache-cache qui se déroule entre
autrui et moi, le personnage central en est arrivé à la dernière limite de sa résistance : va-t-il se résoudre à gagner le
cercle qui, de plus en plus, lui propose son contact répugnant ? Au contraire, va-t-il, jusqu'au bout, se refuser ? N'en
pouvant plus de se sentir séparé et renonçant finalement
— mais dans un dernier accès de lucidité et avec une
vague impression de vertige —. il rejoint les autres, il
abdique sa liberté, il cède : il acquiesce : « Tous les tré-
moussements, tous les tapotements ont disparu comme par
enchantement : en moi les petites bêtes effarouchées, les
petites couleuvres rapides s'enfuient ; je hoche la tête, amusé,
je ris... » et, résistant bravement à la nausée qui le prend
au moment de « trahir », il s'analyse encore à ce moment

---

(35) *Martereau,* page 43.
(36) *Tropismes,* page 135.

capital : « Je sens, tandis que nous parlons, comme un mal de cœur léger, un vertige... Ça va passer... Il suffit de se laisser guider sans penser à rien... Il n'y a qu'à s'abandonner... Ils m'attendent. Je n'ai qu'à venir... Tout s'arrangera... Ce ne sera rien. Juste encore un pas de plus à franchir » (37). On peut noter dans *Martereau* la même sensation de vertige, d'écœurement, renforcée encore de l'image de l'intoxiqué qui, en rejoignant le cercle empoisonné que forment les autres, court à sa perte, comme à une drogue.

C'est redire que le contact d'autrui, qui fait la grande affaire de ces solitaires, est un contact répugnant — abstraction faite, même, de la démission qu'il représente et qui n'entre pas pour rien dans le dégoût ressenti. Cet aspect nauséeux du contact, il vient de très loin, de très profond : certains passages nous indiquent qu'autrui s'impose à moi dans une telle atmosphère de contrainte que je suis comme un fruit qu'il presse, un corps qu'il malaxe, un liquide qu'il comprime. C'est alors que nous rencontrons — élément intéressant pour une psychanalyse — l'image du jet, du geyser. Autrui me serre sadiquement, je lui jaillis à la face : « Le liquide nauséabond qui gicle de nous lui soulève le cœur », est-il dit dans *Martereau* (38) à ce propos. Et, dès lors que le contact se généralise, s'il y a plusieurs individus à se « mettre en commun », l'image s'agrandit, se fortifie d'autant : croyons-en le témoignage de ce protagoniste des *Fruits d'Or* qui se dit à lui-même : « Je ne peux pas le contenir, la poussée est trop forte, déjà le jet brûlant monte jusqu'à mon visage, dans un instant il va jaillir, les asperger, les inonder — un geyser qui nous fera rouler

---

(37) *Portrait d'un Inconnu,* page 230 et fin.
(38) Page 132.

les uns sur les autres, perdant la face, nos mèches dégoulinantes pendant en désordre sur nos visages, nos vêtements trempés collant à notre peau » (39).

Le sadisme évident de ces images fait ressortir que, passionnément recherché ou non, atteint dès le début ou fui le plus longtemps possible, le contact d'autrui, dimension essentielle de notre rapport à lui, est à la fois une agression gluante et une complicité un peu ignoble. Tel est le résultat du premier regard.

Mais cette sous-conversation trouve, nous le savons, son aboutissement dans la conversation. Que sera donc la parole, quel pouvoir servira-t-elle, quand le regard est aussi éloquent ? Comme lui, elle se révèle comme agression et contact, ou consensus. Ou encore : consentement, comme il ressort de l'excellente analyse que Jean-Paul Sartre a fait de ce phénomène à propos du *Portrait d'un Inconnu.*

D'ailleurs, regard et parole constituent souvent *ensemble* cette tentation-agression, à tel point qu'il est difficile de les dissocier. Alain, le principal protagoniste du *Planétarium,* en fait l'expérience à ses dépens quand il s'agit de soutenir, devant les autres, une opinion « non-reçue », la sienne : « Ne pensez-vous pas que c'est à cause de cela qu'il y a dans son œuvre... quelque chose... » Le pauvre insensé sent, braqué sur son visage, un regard stupéfait : « Quoi donc ? » L'alerte est donnée. Les miradors fouillent l'obscurité. Les chiens jappent. On entend des pas précipités, des coups de fusil claquent : « Qu'est-ce que vous lui reprochez, à elle aussi ? » Rien. C'est fini. L'ordre est rétabli. A vos cages, à vos geôles, à vos rangs. Nez au mur. Qui a bronché ? Personne. Tambours, roulez... » (40).

---

(39) *Les Fruits d'Or,* page 191.
(40) In *Le Planétarium,* page 187.

Passage révélateur : autrui, par un décret universel, un arrêt irrévocable qui est son jugement, son opinion, me met en question. Ou bien je suis assez fort pour supporter la mise au ban qui sanctionne immédiatement mon refus d'obtempérer, c'est-à-dire de juger dans le même sens que lui, ou bien je ne sais pas lui résister et, de même que je ne tolérais pas la séparation imposée par son regard, de même je ne tolère pas l'éloignement où me tient sa parole. J'acquiesce, me voilà rangé à son avis : j'ai consenti. Dans cette manœuvre, le silence d'autrui a d'ailleurs la même valeur que sa parole réprobatrice : il est ressenti sans exception comme une menace, tant est grand son pouvoir sur moi : « Bientôt son silence, nous confie un personnage de *Martereau,* devient plus assourdissant que le vacarme des reproches les plus violents, des cris. J'ai dans mon insconscience stupide, dans ma folle témérité, touché à quelque chose de très dangereux, d'absolument interdit » (41). L'œuvre entière est ainsi faite de ces instants où le pouvoir d'autrui sur moi s'exerce par la parole au moins autant que par le regard. Parole tour à tour tentante et froide. Depuis *Tropismes,* il semble d'ailleurs que la parole se voit déléguer de plus en plus l'exercice de cette domination et, fidèle en cela à ses préoccupations d'essayiste — cf. *L'Ere du Soupçon* —, la romancière a fini par consacrer un roman entier, avec *Les Fruits d'Or,* à éclairer le chemin qui mène de la sous-conversation à la conversation. Qu'est-ce que *Les Fruits d'Or ?* Non pas un ouvrage sur la littérature, ce qui serait parfaitement vain. Mais, appliqué à la littérature parce que c'est là qu'il s'y exerce peut-être le mieux, un essai sur le jugement utilisé comme terreur. Au goût imposé par l'ensemble des autres, tente de s'opposer en le contestant un goût défendu par un seul. Se distinguer d'autrui, ici, sera

_____

(41) *Martereau,* page 41.

préserver sa liberté : « On a dit que ce que les gens supportent le moins, c'est d'être accusés de chanter faux. Je crois que d'être soupçonné de manque de goût est plus pénible » (42), s'écrie un personnage vers la fin du livre, nous avouant par là même la difficulté de l'entreprise : être soi. Et l'on voit ce même personnage chercher lui aussi une complicité pour l'aider à se soutenir dans sa position inconfortable.

Ce faisant, ce disant, il nous livre le secret de tout jugement : convaincre, donc supprimer. Un jugement esthétique proclamé par autrui contient une clause secrète qui dépasse la simple expression de sa conviction : il vise à anéantir toutes les autres : celles qui ne s'y joignent pas. Mon interlocuteur est prisonnier : s'il ne cède pas, il a tort *in aeternum* ; s'il cède, j'ai gagné, je garde le bénéfice du triomphe. En ayant conscience de s'aliéner et de perdre à jamais le bénéfice de l'authenticité, le personnage, comme on peut s'y attendre, cède la plupart du temps et, là aussi, refait le chemin : il adhère au consensus, au lieu commun. Ainsi, dans *Tropismes,* ces « Oui, oui, oui, oui », « C'est vrai, bien sûr » qui me concilient autrui, me réunissent à lui. Comment rester loin de lui quand il m'accuse ? Quand il me sollicite ? Quand le couple que je peux former avec lui « collés l'un à l'autre, ne faisant qu'un seul corps comme le cheval de course et son jockey » (43) se présente comme une garantie, un abri sans défaut ?

Certes, les autres parlant ensemble et se confortant dans leur entre-opinion, cela a quelque chose d'ignoble. Comme leur contact mutuel, ce consensus est répugnant : « cette complicité sournoise entre eux » (44). Leur commune sé-

---

(42) *Les Fruits d'Or,* page 221.
(43) In *Les Fruits d'Or,* page 149.
(44) *Id.,* page 165.

curité, elle est faite de bribes rassurantes, de jugements prudents d'où rien ne dépasse, où l'originalité même est prévue, donc mesurée pour ne pas troubler l'ordre commun. Il n'est pas difficile au lecteur attentif de retrouver là un monde bien connu, quotidiennement familier... Il reconnaît ce bien-être « entre eux », cette grande communauté d'idées inébranlables, reçues et ressassées, unanimes et consenties : « Elles avaient réussi à attraper par-ci par-là dans tout ce qu'elles trouvaient autour d'elles, des bribes, des brindilles qu'elles avaient amalgamées pour se construire un petit nid douillet à l'intérieur duquel elles se tenaient bien protégées, gardées de toutes parts, bien à l'abri... C'était extraordinaire comme elles savaient saisir dans tout ce qui passait à leur portée exactement ce qu'il fallait pour se tisser ce cocon, cette enveloppe imperméable, se fabriquer cette armure dans laquelle ensuite, sous l'œil bienveillant des concierges, elles avançaient soutenues par tous, invincibles, calmes, et sûres » (45). Ailleurs, la romancière analyse magistralement ces confidences écœurantes, ces aveux partagés avec de troubles délices, par lesquels plusieurs personnes, tombant d'accord, se vautrent dans la réciproque banalité et le sordide rassurant. Opinions communes : jouissance un peu honteuse, peut-être, mais de tout repos. Et c'est alors un festival de ces « Oh ! », « Ah ! » complices, veules, où il n'est pas interdit de trouver comme l'écho d'une espèce de plaisir érotique : « Venez donc près de nous, un peu plus près, serrés les uns contre les autres, coude à coude... on est si bien... vous allez voir », est-il dit dans *Les Fruits d'Or*. Rester dehors, c'est endurer dès lors la position insupportable de qui est « mis au ban, tenu à l'écart » (46). Et l'on a beau se dire que l'adhésion à cette « parlerie »,

---

(45) *Portrait d'un Inconnu,* page 43.
(46) *Les Fruits d'Or,* page 99.

à cet « inauthentique » (47), c'est un acte de trahison
envers soi-même, il faut s'abriter, il faut dire oui, il faut
donner sa part et sa caution ou con-sentement universel.

Pourtant, rien n'est simple. Enfermés dans leur propre
cercle, livrés entre eux au lieu commun, les Autres, eux
aussi, ont *cherché* refuge dans la convention. Par les tics,
les mots, les thèmes communs sucés jusqu'à la jouissance,
ils se tiennent les coudes, se défendent contre on ne sait
quelle peur, en tout cas contre l'individu dont la radicale
altérité menace leur univers sur pilotis. Ils ont peur, et leur
entente peut avoir les apparences de la morgue, elle est avant
tout protection. Voluptueuse protection derrière la géné-
ralité : par deux fois, dans *Martereau* et *Les Fruits d'Or*,
l'écrivain parle de « l'écran protecteur des mots ». Autrui
a quelque chose à garantir, à préserver.

Alors : qui n'est pas victime, dans cet affrontement ?
Les autres, entre eux, ne conjurent la peur que par le réflexe de « mettre en commun ». Moi, je me nettoie de ma
culpabilité par l'élan vers le contact-oubli. La sous-conversation est apeurée, la conversation est mensonge. Par la parole
et le geste, on cherche à s'abriter : ce ne peut être que
du déguisement. Visible et Inauthentique se confondent,
et cela pour tout le monde. Avec Nathalie Sarraute, il faut
donc nous arranger de cette vérité très inconfortable que
communiquer, c'est cacher sa peur, c'est mentir. On n'en
est que plus à l'aise pour admirer ces rares personnages
dont la romancière fait ses « héros » : eux, ils se défendent de toutes leurs forces de cette parole consentante et
menteuse, de ce regard soumis dont ils sentent la tentation.
Ils se dressent seuls, valeurs fragiles et contestées, face à la
vérité apparemment incontestable et sûre d'elle-même des
autres. Là, où l'on a surtout vu une exploration psycholo-

---

(47) Cf. la préface de J.-P. Sartre au *Portrait d'un Inconnu*.

gique spectaculaire par son aspect microscopique, il faut découvrir une protestation désespérée, une revendication passionnée de l'individu lucide en proie à la société abusive qui, gouffre menaçant, l'attire et le conteste à la fois.

Quelle est donc la « vérité pratique » (48) d'une telle œuvre, dont on a pu dire qu'elle était de plus en plus enfermée dans une vision paranoïaque des relations humaines (49) ? Miné par la culpabilité, qu'est-ce que ce terrain peut produire d'utilisable ? Dans cette problématique de l'intimité, que dégager qui rencontre l'expérience commune et l'éclaire ?

Voilà qui est peut-être mal poser le problème. Nathalie Sarraute vise justement à contester fortement la morale commune, ou plutôt, à nous inquiéter en face d'elle. Que nous dit-elle en effet, par le biais de ses personnages anonymes à qui il n'arrive rien que de très banal ? Que la certitude est un étouffoir, qu'il y a dans les conduites moi-autrui un jeu très cruel fondé sur des attitudes et des opinons terroristes. Qu'enfin, cela étant donné, il n'y a rien de plus simple, et de plus inauthentique, que de s'abandonner au consentement universel, seul moyen d'éviter la séparation. Démythification de « l'accord » (50), cruelle mise à nu de l'intimité : on voit très bien, dans cette entreprise, ce qui ne pourra jamais servir à l'expression « totale » de l'homme selon Dos Passos, Sartre ou Butor. Mais on sent aussi que certain reproche porte ici à faux, selon lequel l'auteur du *Planétarium* se limiterait très complaisamment, et avec un goût de plus en plus prononcé pour l'abstraction, à l'édifi-

---

(48) « La poésie doit avoir pour but la vérité pratique » (P. ELUARD).
(49) J.-P. SARTRE, in *Les Ecrivains en Personne,* par Madeleine CHAPSAL.
(50) VALÉRY disait déjà : « Un accord est la rencontre de deux arrière-pensées. »

cation d'une œuvre « bourgeoise », c'est-à-dire en l'air, inutile. La romancière répond que, connaissant bien la Bourgeoisie, elle ne peut dire que la Bourgeoisie. On ne voit
là qu'une preuve d'humilité. Et son œuvre répond pour elle
que ces terreurs et ces acquiescements, ces cruautés et ces
démissions, ces banalités confortables dont elle fait la matière de ses livres ne sont en aucune façon propres à la
Bourgeoisie. L'Inauthentique qui s'exprime par les pantins
bavards et sournois de *Tropismes* ou du *Planétarium* est
une attitude générale évidente qui, au fond, n'a rien à
voir *spécialement* avec tel tableau, tel livre, s'agît-il des
conversations de « primaires » (et d'autres) sur la profonde
utilité des faits-divers de tel quotidien ou concernant le rôle
néfaste de toute explosion atomique dans le plus petit changement atmosphérique, etc. Chaque classe a son consensus
menaçant : la recherche du consentement, le plaisir au lieu
commun ne sont en aucune manière une spécialité bourgeoise. C'est peut-être ne pas avoir saisi les intentions pro-
fondes de la romancière que lui reprocher de ne pas lier
à son sombre portrait une critique de la société qui permet
le triomphe du faux-semblant : Nathalie Sarraute s'est placée
au-delà. A-t-on jamais vu qu'une société, de telle ou telle
forme, empêchât l'individu de rechercher le consensus, ou,
au contraire, de le fuir héroïquement ? « Desservie » en
l'occurrence par son sens très aigu de l'anonymat qui lui
a tout de suite permis de dépasser l'anecdote pour atteindre à la vérité générale d'une situation (51), la romancière
de *Tropismes* rencontre fatalement la méfiance de qui n'a
pas été aussi vite qu'elle. S'étant dès l'abord placée hors
de la catégorie facile du « cas » pour démasquer plus
généralement l'attitude, elle tourne le dos à ceux qui cher-

---

(51) Voir le début de cette étude et aussi les notes concernant l'Anonymat en général.

chent encore, d'un cas malheureux, les tenants et aboutissants. Le passage de la sous-conversation à la conversation ne peut pas rendre compte du milieu dans lequel il s'effectue.

Le seul critère qui permette de juger l'œuvre sans trahir ses intentions, c'est la nature de l'intimité. La relation victime-bourreau mise à jour ici est-elle vraie ? Nous éclaire-t-elle sur nous-mêmes ?

Sans doute la réponse à cette question doit faire la part de ce qui appartient en propre à Nathalie Sarraute et explique une certaine dramatisation du rapport. Simone de Beauvoir nous trace d'elle un portrait à peine équivoque : elle parle d'abord de sa subtilité inquiète, rattachant cette particularité de son caractère à sa condition de « fille de Russes israélites que les persécutions tzaristes avaient chassés de leur pays » ; ailleurs, elle nous la montre, au cours d'une conversation avec Sartre et elle, expliquant « posément que nous sommes *Le Château* de Kafka... Nous arrivons à la convaincre, après une heure d'argumentation, que nous avons de l'amitié pour elle » (52). Il est donc permis de voir dans l'œuvre le reflet d'une présence des autres sentie depuis longtemps à la fois comme lointaine, étrangère et, peut-être, traumatisante. Ce n'est sans doute pas ailleurs qu'en elle-même que la romancière a « contracté » cette obsession-répugnance du contact qui apparente ses personnages à ceux de Dostoïevski et de Kafka. Cependant, cette sensibilité exacerbée ne rend pas compte de tout, et en particulier de cette impression frappante de vérité que donne l'œuvre quand elle est confrontée à l'expérience quotidienne. Ou alors, il faut inverser le rapport habituel : ce ne serait pas grâce à cette sensibilité que la romancière aurait pu

(52) In *La Force des Choses*, passim.

construire cet univers frère du nôtre, mais ce serait bien
plutôt en dépit d'elle. Comme, ainsi que l'a montré Jaspers
et toutes proportions gardées, Van Gogh n'a pas peint avec
sa maladie, mais contre elle, malgré elle. Simplement, il a
mieux vu — comme Nathalie Sarraute elle-même : car, si
un peintre célèbre, mettant son tableau au milieu des blés,
attendait pour le signer de pouvoir dire « Ça tient » et
alors seulement le considérait comme réussi, en ce cas tous
les livres en question « tiennent » admirablement et constituent une seule, éclatante réussite. La loupe de la romancière, maniée avec franchise, avec cette force qui fait du
livre « une forme dans laquelle cette réalité puisse être
captée, dans laquelle elle soit concentrée, dotée d'une force
percutante qui lui permette de franchir toutes les zones
de défense que lui oppose le lecteur » (53) nous propose
un monde qui nous convainc sans peine, si nous sommes
honnêtes, que nous sommes des personnages... de Sarraute.
Nous savons fort bien que la Solitude n'est pas longtemps
tolérable. Que l'abandon de cette position insupportable
ressemble souvent à un acquiescement un peu dégoûtant.
Le « Je ne suis pas d'accord » nous jette souvent dans la
bouderie, le désespoir, ou la rancœur ou l'irritant agacement
de n'avoir pas su convaincre. Pour ne pas être « repéré »,
c'est-à-dire séparé, nous laissons affleurer le moins possible
de sous-conversation dans la conversation : nous mentons.
Nous sentant « regardés », il nous arrive bien de nous réfu-
gier aussi dans l'Inauthentique, qui prend alors la forme
de la banalité rassurante, de la « bonne » vérité quotidienne. Il faut être de bien mauvaise foi, enfin, pour nier
que le silence, entre autrui et moi, installe une gêne, comme
une menace parfois insupportables. Il faut vivre dans l'à-

---

(53) In *La Nouvelle Critique*, nov. 1960.

peu-près pour dénier à ce regard qu'il dirige sur moi, cet autre qui me fait face, une force « troublante ».

Avec violence, avec minutie (54), Nathalie Sarraute nous propose de nous-mêmes un portrait intime inconvenant. La force de refus qu'elle rencontre est révélatrice : on ne s'inquiète pas des intentions, pourtant souvent redites, et l'on en vient à qualifier ses œuvres d'abstraites, de romans sur la littérature, de romans de romans. C'est appliquer très précisément à l'entreprise la conduite confortable-terroriste que la romancière ne cesse de dénoncer : c'est dire que ce travail difficile de mise au jour est un peu lassant, un peu inconvenant, qu'au fond cela se limite à un tic formel, à une mauvaise habitude contractée par inadvertance, que cela va passer, qu'il faudrait bien revenir à de plus justes sentiments, enfin : c'est supprimer la force révolutionnaire d'une œuvre décapante, seule, neuve. Condamner Sarraute, c'est faire du Sarraute.

On ne peut sans doute mieux rendre hommage à cette chercheuse immobile et patiente de la vérité inconfortable.

---

(54) C'est cette violence, cette minutie — nécessaires — qui relèvent peut-être d'une interrogation par rapport à la romancière elle-même (sado-masochisme ?), non la matière qu'elles permettent de ramener au jour.

VERTIGE ET PAROLE
DANS L'ŒUVRE DE CLAUDE SIMON

> *Ce que j'aime faire, traduire en mots, en langage, ce que Samuel Beckett appelle le « Comment c'est ». Ou plutôt le « Comment c'est maintenant », comment c'est désormais dans ma mémoire... Dans le moment présent, moi je ne vois rien...*
>
> (L'Express, *8 avril 1962.*)

Parce que, plus qu'aucun autre, Claude Simon veut nous rendre présente l'épaisseur du monde telle qu'elle est vécue, sentie, et parce qu'il s'attache à dire, à mimer au plus près par le langage la réalité physique de notre présence à l'En-dehors, son œuvre apparaîtra au lecteur pressé comme l'aventure de la Perception, elle signifiera avant tout le poids charnel de l'En-dehors sur le moi qui tente de le restituer par la parole sans rien en perdre. Et certes, il s'agit bien du rapport que j'entretiens avec le réel, ou plutôt avec le souvenir du réel puisque, pour Simon comme pour Proust, la vraie mémoire est ce qui rend le plus « fidèlement » compte du monde, de l'impact du monde sur nous. Un lec-

teur attentif comme Merleau-Ponty (1) a bien vu l'intention
et la réussite de l'entreprise, par le moyen d'une expression
exigeante et somptueuse à la fois. Mais cette œuvre n'est
pas, si brillant soit-il, un exercice de style et c'est peut-être
la limiter quelque peu que de la réduire à ce résultat brillant par quoi elle se donne à nous. N'a-t-elle pas, plus
fortement, des racines ? Si l'on préfère : au lieu de se livrer
comme explication, n'est-elle pas d'abord implication ?

Une première réflexion nous amène rapidement à constater qu'il s'agit sans doute d'une problématique de l'individu
dans l'Histoire, et cet aspect se révèle de façon privilégiée
dans la première œuvre : *Le Tricheur,* sans jamais s'es-
tomper par la suite. Tous les récits venant à la suite de
cette question initiale essaieront de formuler, ou d'éluder
une réponse qui, peut-être, était déjà contenue dans ce
premier roman : tout imparfait qu'il apparaisse eu égard,
par exemple, aux réussites éclatantes de la « seconde manière » (2), à travers lui il est possible, dès maintenant,
d'apercevoir toute l'œuvre en perspective.

L'homme est-il capable de faire son Histoire ? Donnant
les éléments de réponse, les termes qui servent à définir
l'attitude du personnage sont nets : il s'agit de sommeil, ou
d'éveil (3). Il navigue entre ces deux états. Les plus lucides
se reprochant celui-là, ayant la nostalgie de celui-ci ; les
moins lucides se laissant aller à leur pente. L' « aventure »
du principal protagoniste est à cet égard remarquable : parti
d'un profond désir d'éveil, d'une volonté d'attention à « sa

---

(1) Voir ses notes sur la lecture de Claude SIMON, in *Médiations,*
n° 4.

(2) Une fois pour toutes nous admettons que l'œuvre de SIMON commence avec *Le Tricheur,* et non avec *Le Vent.* Nous aurons bien sûr
à nous interroger sur la rupture de ton qui a permis à ce dernier roman
d'inaugurer la façon « Nouveau Roman » — disons pourtant que la
thématique n'a guère changé depuis les œuvres lointaines jusqu'au *Palace.*

(3) In *Le Tricheur,* page 213.

vie » qui le haussent un temps au-dessus de lui-même,
il finit par renoncer et se laisser mener par les événements,
par le hasard. Non sans sursaut, d'ailleurs. C'est le sens de
cet attentat final qu'il commet, en trichant. Se sentant
vaincu — puisqu'il retournera à la femme qui le retient et
l'engourdit —, il veut cependant se prouver par un acte,
nous dirons plutôt un geste, qu'il peut dominer son histoire. Or, cet acte est absurde et n'a d'autre sens que celui
d'un sursaut inutile au-dessus de l'écoulement horizontal
du fatum dans lequel le personnage a fini par se laisser
absorber. Parti d'une morale de la lucidité que son attitude
et son échec final font apparaître passablement abstraite,
l'anti-héros de ce premier récit aboutit donc à l'échec consenti. De la nostalgie de l'histoire à faire, il en arrive au
classique constat individualiste de l'histoire subie. On voit
aussitôt pourquoi cet ouvrage est capital pour apprécier
l'œuvre tout entière : c'est qu'il y sera toujours question
de cet individu problématique que le flux des événements
finit par entraîner avec lui. Le rapport individu-histoire informe pour toujours la recherche, et nous allons semble-t-il
toujours au-devant de la même réponse (4). Mais, d'autre
part, cette nostalgie de la liberté dont vit le Tricheur, elle
installe au cœur de la soumission un regret poignant qui
définit assez bien le sentiment majeur dans les œuvres à
venir, même quand le personnage est apparemment résigné.

Une seconde remarque, en guise d'introduction aux autres romans, peut encore être faite à partir du *Tricheur*. Au
cours de cette évolution qui le mène de la volonté du pouvoir au constat d'impuissance, le personnage passe par dif-

---

(4) Cette dialectique question-réponse s'affermira notamment en s'ex-
primant sous la forme du couple questionneur-révolté/questionné-soumis
qui, supporté par deux personnages ou réuni dans le même, anime les
livres de l'aventure espagnole : *Le Sacre du Printemps* et *Le Palace*.

férentes épreuves, ou tentations qui guettent tous les autres :
le jeu, la « nature », la femme.

Le jeu. Il voit tout de suite en lui la forme 'la plus
expressive de la croyance, donc de la soumission, au hasard.
Il se défend de s'en remettre à ses pouvoirs : ce serait
définitivement abdiquer tout espoir de se reprendre, de se
faire. Et, malgré les sollicitations et les exemples frap-
pants autour de lui, il ne se résoudra pas à jouer. La
tentation est évitée, comme trop grossière. Ceux qui jouent
au contraire, comme ce peintre raté qui se paie de bonnes
paroles et prend son irresponsabilité pour de l'innocence,
comme d'autres qui jouent aux courses ou aux cartes, ils
s'en remettent à l'histoire de les conduire et de les former.
Ce thème se retrouvera, brillamment orchestré, dans *La
Route des Flandres,* sous la forme du pari aux courses et
aussi de ces trafics qui constituent l'esprit de tripot et se
donnent libre cours dans le camp des prisonniers. Max,
dans *Gulliver,* jouera, bien qu'aille sans doute vers lui la
sympathie du romancier. Ce sera par dépit, après l'amère
constatation que sans doute rien ne prévaut contre le
hasard : il faut tenter de le prendre au piège.

La femme. Autre tentatrice. Cette fois-ci, l'écueil n'est
pas évité. De ce caractère de tentation dont il faudrait se
garder à tout prix : deux preuves éclatantes. Tout d'abord,
après l'avoir assimilée au sommeil et à la perte de la person-
nalité (5), Louis, le « héros » du livre, tente de fuir la
femme. La laissant endormie — clair symbole — il s'en
va. Mais ce n'était qu'une tentative de libération, car, trichant déjà avec lui-même, il finit par trouver les meilleures
raisons de revenir... D'autre part, ce mouvement est celui
du livre tout entier puisque, commençant par cette scène
décisive, il s'achève sur quelque chose de plus révélateur

---

(5) In *Le Tricheur,* page 36.

encore : c'est de chez son amie qu'il part pour accomplir le geste absurde qui le « sauve » un instant à ses propres yeux, et c'est chez elle que, l'ayant accompli, il revient. Commencement et fin, la femme est ainsi directement associée à l'échec. Elle est celle *contre* qui l'on vit, elle est celle à qui l'on revient après toutes les démissions.

Nous n'aurons pas à changer d'éclairage pour envisager l'évolution de ce rapport dans les livres ultérieurs. L'œuvre ne fait qu'enrichir, illustrer avec de plus en plus de force ce thème essentiel de la femme-tentation, de la femme-perdition, de la femme-gouffre où il est presque fatal de s'endormir et de se perdre.

Chastes, ou s'en faut, c'est ce que sont en effet Max, dans *Gulliver,* Bernard, dans *Le Sacre du Printemps,* Montès dans *Le Vent* et le jeune-révolutionnaire-amateur du *Palace.* Pourquoi ? Parce que, comme le dit avec insistance le Bernard du *Sacre :* « Elles sont sur le dos, ouvertes », et, ce faisant, offertes, en injure à la toute première — et insupportable — passivité, celle de la mère. D'autre part, comme on le voit bien dans ce livre et dans *Le Vent,* notamment, où la femme enceinte est présentée comme l'incarnation paisible de la femme menaçante, de cette reine des abeilles d'où l'homme vient malgré lui et où il retourne dirait-on à son corps défendant, la procréation apparaît aussi dangereuse que l'automutilation, le coït n'est pas loin de ressembler à une castration. Il fonde cette menace, il est le premier acte capital dans cette privation de sa substance — de sa liberté — où le romancier voit l'essentiel de la relation femme-personnage. Injure à la mère et dégradation de toutes les mères dans cette femme qui s'offre, impudique ; suicide pour celui qui a encore le désir de s'en approcher : le tableau est sombre. Et l'on n'en finirait pas de relever les images qui, surtout à partir du *Sacre du Printemps,* imposent une représentation vertigineuse de « l'autre », atten-

tive à perdre, à absorber, à engloutir l'homme. Cela, et
cette vision archétypale de la mère-se-livrant-elle-aussi-au-coït
qui dans *Le Sacre du Printemps* peut difficilement se dissocier de celle de la femme en général, explique cette quasi-
répulsion qui saisit le personnage, quelquefois, en face du
sexe feminin. On rencontre à cette occasion l'image du
trou vivant, hérissé d'une pilosité agressive et, suprême
triomphe de ce dynamisme vital menaçant chez la femme,
proliférant même avec la cessation de la vie. Néanmoins,
comme il est naturel, cette répulsion ne va pas sans une
certaine attirance puisque, notamment à partir du *Vent,* le
personnage simonien est celui qui, exemplairément, tente de
retenir par la profondeur de sa perception, ce qui existe et
passe autour de lui. Ainsi s'explique que, désirant rester
vierge ou du moins se garder le plus longtemps possible
de celle à qui, Simon nous le rappelle, un certain Concile
n'a concédé une âme qu'à une voix de majorité, le protagoniste, s'il cède, le fasse suivant cette dialectique du
goût et du dégoût, avec le plaisir intense qui s'attache à
quelque chose d'à la fois dangereux et infiniment bon,
d'autres fois avec la violence un peu désespérée de qui
n'a plus rien à perdre. Et puis l'on retrouve encore ici, au
cœur même du plaisir, le classique thème de deux solitudes
incommunicables s'affrontant, on s'en doute, avec acharnement. Cela n'est pas sans agrandir encore la part de malentendu, de malentendu passionné, qui est le propre de la
relation amoureuse. Citons à l'appui la phrase admirable de
Malcolm de Chazal que le romancier a mise en exergue de
la troisième partie de *La Route des Flandres* : « La volupté, c'est l'étreinte d'un corps de mort par deux êtres
vivants. Le « cadavre » dans ce cas, c'est le temps assassiné pour un temps et rendu consubstantiel au toucher » (6).

---

(6) *La Route des Flandres,* page 253.

Constatation qui achève et dépasse ce que nous disions, résumant tout ce que l'œuvre dit de l'amour physique : notation d'un affrontement violent où rien n'est supprimé, sinon la mort un instant arrêtée, le temps saisi et suspendu par le toucher... Mais ce seul instant, une fois passé, il nous rend tragiquement présent à l'esprit et au corps que l'amour, ce n'est que la chair, et que la chair, c'est le pourrissement irréversible (7). On comprendra dès lors que, tout à la tentative sérieuse de dominer son Histoire, le personnage souvent n'ait que mépris pour cette chair agréable mais dégradée-dégradante. Tentante, mais tentatrice.

La « nature ». Ce troisième ordre « tentateur », lui aussi, est lié à l'idée de vie proliférante et pourrissante à mesure que le temps passe. Et, comme la femme, c'est un gouffre, notre perte. Mais plus sûre encore, parce que d'une tout autre dimension : c'est notre dimension. Dès *Le Tricheur* il est question d'Empédocle (8) : mais dans cette référence au philosophe d'Agrigente, ce n'est pas seulement l'Unité du Tout qui est en cause, c'est aussi bien la Tentation de s'y perdre. Et, au-delà de ce rapprochement, nous allons rencontrer le thème en majeur : la nature vivante, les éléments au milieu desquels nous nous efforçons la conscience, sont un gouffre ouvert sous nos pas, vers lequel peut nous attirer une espèce de vertige physiquement ressenti. Nous reconnaissons là ce penchant pour le sommeil, cette tentation de l'irresponsabilité qui sont à l'origine de la démission de l'individu en Histoire. Dans *Le Tricheur,* quand le peintre raté, Gauthier, se laisse tomber de sa bicyclette, attiré par sa course folle comme pouvait

---

(7) Le couple, à cet égard un peu monstrueux, des deux vieillards dans *L'Herbe,* en est une frappante illustration.
(8) *Le Tricheur,* pages 123 et 127.

l'être Empédocle par le souffle de l'Etna, il semble évident
que rejoindre la terre, c'est en même temps s'oublier, se
démettre : voilà une façon de mourir qui est aussi une
façon de vivre.

De cette « nature » tentatrice, il est déjà possible de
dire, par conséquent, qu'elle vit sous le signe du passager,
du flux, de la disparition. Son cours peut être vertigineux.
Du premier récit au reste de l'œuvre, un relai important à
cet égard est constitué par *La Corde raide*. Deux « événements » y donnent à ce thème un relief saisissant : la
guerre, la disparition brutale d'une femme aimée. La mort
est entrée dans la vie du narrateur, elle s'est inscrite dans
son destin quotidien et dans son corps même : si tout
n'est pas perdu, il est devenu maintenant évident que tout
va à sa perte. Et c'est ainsi que, du *Vent* au *Palace,* tout
passe, tout coule, tout pourrit, tout meurt. Trouvant de
plus en plus dans la « nature », dans la façon dont elle
vit sous le regard du témoin qui passe avec elle, des signes
non ambigus d'une caducité *in progress* — que ce soit la
pluie ou le vent, l'herbe qui pousse ou les êtres qui vieil-
lissent — Claude Simon finit par contruire, notamment à
partir de 1956, une œuvre dont le thème central est celui
de la mort en marche.

A cette date, on le sait, *Le Vent* apporte une « révolution » dans l'écriture. Que ce soit ou non sous l'influence
décisive de Faulkner (9), qu'on ait pu discerner — après
coup — des signes de cette transformation dans *Le Sacre
du Printemps,* c'est à compter de ce récit que la saisie de
l'Histoire et du Temps se fait exemplairement par le seul
moyen du langage. L'écriture, dans les ouvrages précédents,
parlait *de* l'Histoire. L'Histoire et le Temps désormais sont

---

(9) *Absalom ! Absalom !,* traduit en 1953, présente une certaine parenté
d'écriture et de pensée avec la « nouvelle manière ».

tout ensemble vécus et parlés par cette conscience aux
aguets qui dans *Le Vent* est le narrateur et qui deviendra
plus tard le sujet même de cette action subie. Maintenant,
l'écriture parle l'histoire. Et le défilement de ces phrases
bientôt interminables épouse enfin au plus près, plutôt exprime au mieux le défilement du discours spatio-temporel
où nous sommes condamnés à glisser peu à peu. Ce qui
n'était qu'un thème, certes essentiel, des premiers livres,
est maintenant déclaré de manière privilégiée par cette unique grande phrase dont le livre se constitue. La parole
contenue entre ses pages est enfin à la mesure du flux des
choses et des êtres, qui se trouve par elle dénoncé comme
une épidémie ; on nous rend sensible plus que jamais l'aventure individuelle dans la grande aventure universelle, le
temps de la personne se dissolvant dans le temps de l'Histoire. Pour la première fois aussi cette passion de la conscience se traduit dans un langage hésitant, dont l'hésitation
même ne fera que croître pour triompher avec *La Route
des Flandres*. Le narrateur hésite, bute parfois, sur un détail
ou parce qu'il ne sait plus où ce langage-histoire l'entraîne,
puis il se reprend pour mieux dire, approcher davantage
de cette aventure « inimaginable », comme si elle dépen-
dait de sa propre parole, comme s'il l'avait inventée. Et ce
qui est véritablement une *tentative orale* nous annonce,
d'une manière éclatante qui est la marque d'un grand écrivain, à la fois l'Histoire et l'Homme. L'un disant l'autre
non sans scrupule.

Pourtant le temps qui passe, dans *Le Vent*, y passe avec
la force sèche, la violence de la tramontane qui souffle dans
cette ville méridionale où l' « action » se situe. Il y a
encore, dans ce récit, comme dans l'attitude à la fois pitoyable et grandiloquente de Montès, un relent de drame.

Plus quotidien, plus humble dans son processus, moins
facilement lisible, le temps de *L'Herbe* nous paraîtra peut-

être plus vrai. Une différence essentielle : dans *Le Vent*, ce temps-élément violent poussait le « héros » à l'action. Ici, c'est une force acceptée. Le temps, c'est le lent vieillissement irréversible qui « colle » au réel, que les choses expriment. Ce n'est plus le temps du vent et des horloges, c'est le temps du corps et de la terre Il est pesamment incarné, il n'y a plus d'espoir : le voilà qui nous est devenu consubstantiel. Et les « signes » qu'en outre il nous fait sont multiples : la germination et le pourrissement des fruits du sol, les activités secrètes et en même temps irrésistibles de la terre, le flux des eaux en général et la tombée de la pluie en particulier. Mais c'est dans le corps qu'il triomphe : dans le corps gonflé jusqu'à la difformité du vieux père, dans le corps délabré et menteur de sa compagne trop fardée, dans le corps littéralement rongé par les heures de la vieille tante mourante. Et le sommet de l'œuvre est peut-être ce moment où les deux vieillards, les deux époux, se livrent une lutte silencieuse et têtue dont la maladresse peut bien signifier le dernier et dérisoire sursaut de la vie exténuée contre le pourrissement qui la guette.

Pourrissement, vieillesse, mort, les personnages de *La Route des Flandres* y sont installés jusqu'à la nausée, jusqu'au vertige. Le lent et irrépressible ouvrage de destruction qui se jouait encore subtilement dans *L'Herbe*, il est ici débâcle généralisée (10), l'à vau-l'eau universel auquel pour finir rien n'échappe et où les gestes, les efforts que fait l'homme pour sauver ce qui peut (?) l'être s'achèvent dans le suicide — de Reixach allant vers sa mort — ou dans la dérision — la rencontre finale de Georges et Corinne dans la chambre d'hôtel. Tout se défait, se décom-

---

(10) Selon le terme appliqué au roman par Jean RICARDOU, in *Critique*, n° 163.

pose dans ce livre écrit avec une seule grande phrase inin-
terrompue et molle... Il faut dire que l'effet d'accumulation,
d'entassement, déjà perceptible dans *L'Herbe,* atteint ici au
Baroque : c'est un monde somptueux et grouillant qui
s'écoule comme une humeur et prolifère jusque dans la
mort. La terre se fait dévoratrice : tout ce qui meurt s'y
fond, s'y engloutit, hommes et chevaux. Et la pluie comme
le pas multiple des chevaux dans le soir y marquent non
seulement le flux du temps mais aussi que ce temps sans
limites a dévoré l'espace tout entier. Si sa marche nous
paraît lente, c'est qu'elle est plus vraie qu'ailleurs, plus totale son œuvre de totale manducation. Au cœur du gouffre,
nous sommes en pleine digestion. L'homme, ensommeillé
ou non, a été absorbé. Il en est au stade du constat. S'il
vit, c'est en sursis, ou peut-être en somnambule (11), de
toute manière sa seule supériorité, dans cet écrasement, est
de savoir qu'il est écrasé et qu'il n'y peut rien. De là,
par endroits, un certain humour noir que les personnages
exercent sur eux-mêmes.

Le Palace, ou le regard au milieu de la Révolution : le
temps y est tout aussi invisible et meurtrier. L'impuissance
a plusieurs visages, dont le suicide par la vitesse, accélération qui est une sorte de défi à la course lente-inexorable
du temps, et le suicide par l'opérette, ou le rite admi-
nistratif. Quant à l'Histoire, elle donne au personnage
l'impression de marquer le pas, de tourner en rond (12), de
suer sur place. Sueur et décomposition, dans cette atmosphère étouffante où le récit se déroule, sont à la fois la
mort et la vie, les signes équivoques de cette activité cauche-

---

(11) *La Route des Flandres,* page 137.
(12) « Révolution », dit Claude SIMON en donnant en exergue à son livre
la définition du Littré : « mouvement d'un mobile qui, parcourant une
courbe fermée, repasse successivement par les mêmes points ».

mardesque où les protagonistes qu'on nous présente ont
l'air de pantins dansant au-dessus du vide... La putréfaction ? Elle est dans ce cadavre de bébé qu'on jette à l'égoût
enveloppé dans du journal. Elle est dans l'urinoir où
s'achève à peu près le roman, elle est dans la moiteur de
cette Barcelone de nulle part. Quant à « l'action » qui
souhaitera immobiliser ce temps mortel par un geste violent, elle en paraît dérisoire, absurde, somnambulique en
tout cas. A cet égard, l'analyse de « L'Attentat » est révélatrice. Entre le moment où il entre au restaurant pour
tuer et celui où il en ressort après avoir accompli son
crime, péniblement, comme s'il avait à vaincre une force
qui pèse sur lui et le ligote, le personnage a eu l'impression
de vivre un temps immobile, fixé, brisé au prix de quelle
difficulté d'être. Mais, dès qu'il remet les pieds dehors et
qu'il se retrouve au milieu de ces fêtards qui lui semblent
continuer le même geste que tout à l'heure, il a le sentiment
de retomber dans l'ornière du temps, que son acte n'a
été, lui aussi, qu'un geste, que rien n'est changé, qu'il ne
pourra sans doute plus s'échapper du cycle où il avait vécu
jusque-là. Il s'était séparé un instant de la durée, donc de
lui-même : il se retrouve avec une espèce de désespoir
silencieux dans l'écoulement universel.

Ainsi, depuis *Le Tricheur* jusqu'au *Palace,* il y a appro-
fondissement de la notion de temps pourri et dévorateur, et
une traduction de plus en plus physique de son action vertigineuse. Convention inexorable des pendules, putréfaction
lente et somptueuse, éternel retour, telle est l'Histoire, telle
est, s'ouvrant sous les pas des personnages comme un
gouffre, la « nature ». Cette analyse, que nous avons menée
rapidement depuis le premier roman, fait plus que prendre
l'œuvre entière en perspective, elle est même plus, on le
voit, qu'un simple relevé des tentations subies par l'individu, que nous avons montré en train de s'efforcer vainement

à écrire son histoire. En réalité, cette saisie cavalière nous place au plus près de l'anti-héros simonien, elle nous éclaire singulièrement sur son « destin ».

Ce destin, c'est d'être, on ne s'en étonnera pas, en situation de dérision. Qu'il s'agisse du « tricheur » qui ne parvient pas à dominer le moindre événement et finalement y renonce, ou qu'il s'agisse de l'étudiant « révolutionnaire » du *Palace* qui se sent dépassé et cerné par l'incohérence d'une Révolution à laquelle pourtant il est censé prendre part, le constat est le même. Seul le degré diffère. Là, nous étions à la source du désespoir. Ici, nous sommes au-delà. Entre temps, il y a eu *Gulliver* et ce personnage de Max qui, lui, ne se fait plus d'illusions, a dépassé le stade de la révolte, même (13). S'il y a eu en lui blessure profonde, elle est recouverte par son calme, son indifférence. Mais son silence a encore valeur tragique : il finit par se suicider... La vraie résignation, qui est devenue une sagesse, intervient pour la première fois avec ce type de révolutionnaire-amateur vieilli du *Sacre du Printemps*. Nous le voyons revenu de tout espoir, il a atteint ce degré de scepticisme où, rien ne signifiant plus rien, ce que nous sommes prêts à condamner au nom de la morale ne témoigne que bêtement de l'impuissance de l'homme : il sera toujours « refait » par la « Vie ». C'est ce personnage que, jeune, nous retrouverons dans le *Palace,* au cœur de l'aventure espagnole vécue par le romancier lui-même.

C'est un « héros » tout physique que le Montès du *Vent,* ou plutôt — nous avons vu pourquoi — c'est par des moyens tout physiques qu'il nous est montré en butte à l'Histoire, tourné en dérision par elle. Jusque dans son apparence Montès est en effet la victime grotesque, passive,

---

(13) In *Gulliver,* page 280.

d'un complot. Par tous les protagonistes et même par le narrateur qui lui est favorable, il nous est présenté comme le pantin pitoyable que l'on montre du doigt : coupe de cheveux, imperméable défraîchi, appareil de photos, allure, tout en lui est quasi-chaplinesque et dénonce une incompréhensible innocence, toute désignée pour servir de cible à l'ogre : les autres, les événements. Il y a bien de la perfection dans ce ratage total, un peu de complaisance peut-être dans la peinture sans ombres de ce bafoué. Mais la pitié joue à plein à son égard et fait du *Vent* le livre le plus touchant de tous.

Au contraire, les romans suivants, pour traduire la dérision et l'impuissance, vont gommer les personnalités et diluer l'individu dans la masse pesante qui finit par le noyer : ce que « rend » parfaitement l'écriture étouffante, sans relâche, tout d'un flux. Au cœur d'une Histoire anonyme, telle est la position de l'individu an-héroïque. Aussi bien, s'agissant de *L'Herbe,* Simon peut-il placer son livre sous le patronage de Pasternak : « Personne ne fait l'Histoire, on ne la voit pas, pas plus qu'on ne voit l'herbe pousser. » Et, s'agissant de *La Route des Flandres,* a-t-il mieux réussi encore à restituer le pesant et baroque mouvement de décomposition qui entraîne, vains, sans force, les « agis ». Pour *Le Palace,* nous avons noté que, du temps linéaire et dramatique du *Vent,* nous étions arrivés au temps immobile et circulaire du fatal « éternel retour ». L'histoire a subi la même évolution : de spectaculaire et cruelle qu'elle était, en passant par le riche écroulement de *La Route des Flandres,* elle est devenue indifférente, anonyme, laissant le personnage apercevoir tragiquement sa totale inutilité. A l'absolu anonymat, l'absolue dérision.

Les messages de cette Histoire, où le personnage n'a que faire, vont lui paraître, on s'en doute, incohérents. Jamais cela n'a été mieux senti que dans ce livre sec, pragmatique (14), *Le Palace,* où l'action est non-avenue, l'Ecoulement du temps et des choses immobiles, en rond, toutpuissant dans son éternelle activité dévoratrice. La présence de l'homme est une question posée à cet En-dehors dominateur : la réponse est placée sous le signe du désordre. On aura d'ailleurs remarqué la multiplicité des « messages » tronqués : cette arrivée dans la ville par exemple, qui l'étourdit, et l'empêche de rien comprendre à la suite bartolée des façades qui défilent à cent à l'heure devant ses yeux. Il ne peut rien comprendre non plus à ces affiches qui parlent en termes bruts et trop vifs de stations d'autobus, de produits alimentaires, de réunions politiques, toutes choses qui sont pour celui qui les déchiffre une réalité solidifiée, extérieure, illisible en quelque sorte parce que déjà morte et, de toute façon, irrécupérable pour le passé, irrattrapable pour l'avenir. Bien souvent, ces signes eux-mêmes, affiches ou autres, sont déchirés, matériellement indéchiffrables : ce n'est sans doute pas là un hasard. Les titres des journaux illustrent parfaitement cette intrusion du non-sens : on vient d'assassiner un personnage important, et les gros titres des quotidiens posent tous la même question que l'étudiant se pose à lui-même, Qui a tué ? Et puis cette question prolifère, pour finir tous les journaux achetés, déchiffrés, interrogés, la question demeure intacte, triomphante. Lus tout entiers ou à moitié, à peine aperçus aux étalages ou médités dans la pénombre de la chambre, tous ces témoignages révèlent qu'on est toujours à côté des événements, que toute information, en retard sur la marche de l'Histoire, n'est qu'une question vaine qui la violente

---

(14) Pour reprendre l'expression même de Claude SIMON disant : « Le révolutionnaire pragmatique élimine le révolutionnaire romantique à l'aide des militaires » (Interview radiophonique).

ou la trahit ou la voile, parce que, précisément, elle nous échappe. Et le soir, dans sa chambre, l'étudiant finit par avoir la nausée de cette incohérence. Son interrogation impuissante, sa propre faiblesse se solidifient d'un seul coup sous mes yeux : l'Histoire insaisissable lui soulève le cœur.

Curieusement — mais ce n'est plus un signe fou pour ceux qui auront lu de près *Le Palace* —, ce thème s'avère comme un des moins négligeables : il court dans l'œuvre de Simon : affiches de gare dans *Le Tricheur,* journaux tout chargés de l'ignorance quotidienne grossie encore par l'emphase dans *La Corde raide* et *Gulliver,* affiches tronquées et banderoles stéréotypées et grandiloquentes où l'événement est figé, ridicule, dans *La Route des Flandres* et, bien entendu, le dernier livre, autant de messages irrecevables qui sont la voix de l'Histoire s'adressant à l'individu dépassé, étonné, ayant perdu le sens.

On achèvera ce portrait en livrant enfin cette remarque : pour qui lit d'affilée les romans depuis *Le Tricheur,* il est aisé de noter qu'ils se situent, *Le Vent* mis à part, en marge ou en plein cœur d'un conflit catastrophique. Cela revêt deux aspects qu'on peut nommer facilement grâce à *La Corde raide,* sinon aux confidences du romancier : la guerre d'Espagne et la débâcle de 1940 suivie de la période sombre de l'emprisonnement. *Le Palace* et *La Route des Flandres* paraissent de ce point de vue assez favorisés. Mais *Le Tricheur* s'ouvre également sur un bref tableau de l'Exode, l'action de *Gulliver* se déroule au moment de l'Epuration, *Le Sacre du Printemps* est écrit, pour une part importante, autour de la guerre d'Espagne. Quant à *L'Herbe,* qui faisait apparaître quelques-uns des personnages de *La Route des Flandres,* il s'appuie sur une lointaine évocation des instants troublés de la défaite de 40. En somme, l'œuvre se nourrit de la tragédie universelle qu'est une guerre, elle nous montre comment la petite histoire des protagonistes

épouse le gigantesque effondrement exprimé sans espoir par
l'Histoire tout entière. Un cataclysme l'un dans l'autre, pro-
cédant, dirait-on, l'un de l'autre, un double processus d'effondrement. De là, cette allure fatiguée, ce relativisme
généralisé qui font que le chien battu, où l'on peut reconnaître l'homme selon Simon, nous apparaît dans ce contexte
comme un chien battu d'avance. Plus on avance dans l'œuvre, plus on voit que l'homme est privé de lui-même : c'est
ce que l'œil du miroir servira à révéler, lui montrant qu'il
n'est qu'une présence vide et gesticulante. Il se sent « agi »,
dans le cadre de ce monde en perdition. Se voyant, il passe
tout naturellement du « Que fais-je ici ? » au « Qui suis-
je ? ». Il doit s'avouer alors que sa présence, là, ici, est un
non-sens : non pas une absurdité (cf. à ce sujet *La Corde
raide*), mais un simple non-sens. Il a en quelque sorte inté-
riorisé le non-sens de l'Histoire. L'indifférence, si chèrement
acquise, est au bout de cette réflexion, qu'elle prenne ou
non la forme d'une confrontation au miroir. De là, par endroits, un certain cynisme envers les autres, ceux qui se font
encore illusion ou cherchent à se tromper eux-mêmes. De là,
aussi, ce que nous avons noté plus haut : un humour volontiers noir envers soi-même, tel qu'il est pratiqué par le
beau-père dans *Le Sacre du Printemps,* ou Georges et
Blum dans *La Route des Flandres.* Au milieu de l'affolement, ou pour éviter son retour, comme pour éloigner tout
désespoir « imbécile », cet humour maintient une distance
par rapport à la tragédie, préserve l'indifférence. De là,
encore, le ton de constatation, qui est celui de l'entreprise
en général. Constatation minutieuse et appliquée de l'effondrement et de la nullité, l'œuvre semble alors une raison
ardente, un exercice spirituel, ou plutôt corporel, puisque,
tout désespoir connu et mesuré, toute facilité refusée, il
reste, après cette « table rase » d'une nouvelle exigence,
la vérité dernière, le corps. Il était dit dans *La Corde*

raide, déjà : « Vraiment l'unique moyen de ne plus être seul, c'est de ne plus penser. »

Cette œuvre est donc sans futur. Qu'on voie en elle le résultat d'une complaisance individualiste-bourgeoise à l'impuissance historique de l'individu, qu'on y trouve un écho puissant au sentiment tragique de la vie selon Unamuno (15), elle se livre comme un constat honnête de l'Au-delà du Désespoir.

Le personnage est donc en proie au gouffre et au flux. Qu'il soit question de la femme, de la « nature » vertigineuse tout autour de lui, ou de l'Histoire Espace-Temps qui coule ou bâille sous lui, il inscrit sa démarche sans illusion au-dessus d'un trou. Et lui-même, il va sans dire qu'il ne peut se maintenir longtemps au-dessus. Il est entraîné à son tour, il finira par disparaître aussi... Nous avons amplement noté au passage les images qui signifiaient cet engloutissement, cette perdition en profondeur. Pendant que l'herbe pousse ou que la pluie tombe, les corps s'appesantissent, les chevaux morts, par exemple (16), s'enfoncent peu à peu dans la terre et finissent par se confondre avec elle, Barcelone, ville-charnier, va se dissolvant et pourrissant ; en face de quoi le « héros » est saisi du désir de se laisser aller à la volupté masochiste d'abandonner, de pactiser avec sa propre perte, de se démettre une fois pour toutes. Il est ici important de signaler que les livres essentiels de Simon se soldent à peu près tous par la nostalgie, ou l'acceptation, de la mort-sommeil. On lit à la fin du *Tricheur :* « Et de nouveau je respire une seconde fois, mais redressé, mon corps tout droit, s'emplissant de silence et de ténèbres, comme si ça

---

(15) Cité plusieurs fois. Cf. notamment *La Corde raide.*
(16) Ces mêmes chevaux dont le pas marque, dans *La Route des Flandres,* le gigantesque écoulement du Temps.

ne devait jamais finir, comme si ça ne devait jamais plus être que cet illusoire et apaisant afflux. » Voici la phrase finale de *La Corde raide,* plus révélatrice encore : « Les branches passent à travers moi, sortent par les oreilles, par ma bouche, par mes yeux, les dispensant de regarder et la sève qui coule en moi se répand, m'emplit de mémoire, du souvenir des jours qui viennent, me submergeant de la paisible gratitude du sommeil. » *Le Vent,* lui, s'achève sur un souhait aussi caractéristique, s'appliquant aux souffles de la tramontane recouvrant de son inquiétude, passant avec son tourment sur la paisible tragédie des hommes : « Condamnée à s'épuiser sans fin, sans espoir de fin, gémissant la nuit en longue plainte, comme si elle se lamentait, enviait aux hommes endormis, aux créatures passagères et périssables, leur possibilité d'oubli, de paix : le privilège de mourir. » A la fin de *L'Herbe,* ce qui s'installe après l'histoire de ce lent pourrissement par où se termine toute aventure humaine, c'est, encore une fois, « la paix nocturne ». Autrement dit, une espèce de silence-néant. Quant au narrateur de *La Route des Flandres,* il se demande, achevant sa confession-récit, si tout ce qu'il vient de dire, il l'a « vraiment vu ou cru le voir ou tout simplement imaginé après coup ou encore rêvé, peut-être dormais-je n'avais-je jamais cessé de dormir... » cependant qu'il reste saisi en dernier ressort par l'imperceptible et silencieux écroulement de toute chose.

Fins éloquentes où le sommeil et le rêve d'ensevelissement signifient que la vie est en creux, qu'elle est au creux.

Dès lors, qui s'étonnera que la caractéristique la plus frappante de la phrase simonienne soit l'entassement ? L'Espace en gouffre postule quelque chose qui le comble. Ce vide que le narrateur ou le personnage voit s'ouvrir sous lui non sans en éprouver parfois la tentation, qui, sous lui,

demeure ouvert, il apparaît que le rôle de l'écriture, à
partir du *Vent*, est de tenter de le combler à mesure qu'elle
nous en dit la forme.

Une phrase s'ajoutant à l'autre, faisant naître d'elle-même
un paragraphe, une page, le livre entier, c'est la naissance
d'un mouvement irréversible et vertigineux qui donne à
l'entreprise de parler la dimension d'une énorme compen-
sation à la perte dont elle nous révèle en même temps le
devenir insupportable. Parler, c'est entasser dans le gouffre,
même si c'est dire le gouffre. Impuissante à nous rendre
présente la totalité, puisqu'elle se creuse sans cesse et se
dérobe, l'écriture tente désespérément en s'ajoutant à elle-
même, en s'accumulant dans la chute, de saisir et retenir, l'instant de la parole, l'En-dehors et le personnage dans
leur chute ensemble.

On ne déniera pas au participe présent, dans cette saisie,
un rôle important. C'est le mode du dévoilement instan-
tané, de la découverte insistante. A l'actuel qu'on voudrait
donner à voir, à vivre, le regard et la pensée tentent de s'accrocher, et c'est par approximations successives, par coups
de boutoir de plus en plus profonds qu'il est — peut-être —
donné de rattraper ce réel en creux, cette complexité qui
se dérobe. Le présent s'ouvrant toujours davantage sous la
recherche, il faut entasser fragments sur fragments pour le
faire sentir un peu. Le participe présent est le foret qui
s'enfonce dans ce réel, creuse et ramène les parcelles arra-
chées à l'écroulement général. Tout l'être est engagé dans
cette recherche qui, sans fin, s'accomplit, est en train de
s'accomplir. C'est pourtant au cœur même de cette enquête
qu'il est nécessaire de noter le besoin de perspective du
récit : le participe présent est en fait l'instrument de la
recherche d'un faux présent, puisque toute l'entreprise, à
partir du *Vent* surtout, est orientée selon le sens parole → passé, sens justifié par le fait que seul le souvenir,

aux yeux du romancier, peut approcher la complexité du réel ; mais il faut voir là plus que l'habituelle impossibilité, avouée ici honnêtement, d'écrire au présent : cette attitude est d'abord l'expression de l'impossibilité où est le personnage de saisir cette simultanéité en creux qui, fuyant sous l'attention, lui dérobe son présent. Mode de l'insistance et de l'attention au procès présent, le participe présent est donc en fait le mode de la *tentative,* c'est-à-dire de l'impuissance. Il signifie l'épuisante course à entasser toujours sur l'En-dehors en fuite.

Il reste l'effort répété, cette interrogation (18) sans fin qui nous donne à la fois le mouvement général de la chute où tout s'en va à vau-l'eau, et le mouvement de l'entassement sur elle, qui tente de la serrer au plus près. L'esprit, le corps retiennent l'En-dehors et se retiennent à lui dans leur chute commune. Avant que l'image du gouffre s'impose, il était écrit dans *La Corde raide :*

« — Quel est votre sujet ?

— Une course de vitesse.

— Comment cela ?

— Des gens et un tas de choses, des odeurs, des heures, des idées, des figures qui courent et moi au milieu d'eux, à en perdre haleine, pour me maintenir à leur hauteur. »

Transposons cette illustration à la verticale ; elle rend compte alors de toute l'entreprise. Et, pour mieux situer encore ce que cette entreprise, par son application obstinée, enlève au désastre et à la perdition, il n'est que d'écouter la même voix, dans *La Corde raide* encore, nous parler

---

(18) Le participe présent est à l'Actuel béant qui se dérobe mais tente l'esprit attentif ce que le pénis est au sexe féminin ouvert et comme vertigineux. L'une et l'autre approche visent l'impossible unité, vivent de l'insistance et de la répétition, se soldent par un échec et un désespoir serein, ayant atteint de brefs instants illuminés et, de toute manière, reculé l'échéance.

de la tentation, que nous avons mainte fois nommée dans ce bref essai, de « laisser aller » : « Alors je peux m'arrêter de courir et rester dans l'obscurité transparente et ne plus chercher. Entendre les pulsations de mon cœur dans ma poitrine se calmer peu à peu, ma respiration devenir égale, me laisser aller étendu, à la dérive, porté par l'eau lente du fleuve inépuisable, connaissant que je ne suis pas moi, pactisant avec l'univers sans image, et laisser m'emplir le consolant et tendre désespoir de la mort. »

Cette parole n'est si savoureuse que parce qu'elle a résisté à la tentation ; elle s'adresse à nous avant la disparition qu'elle a su reculer le plus possible. Au bord de ce gouffre qui l'attire mais la hante, elle retient le réel en l'épousant. En le parlant par un effort ininterrompu, elle le sauve... jusqu'au silence (19).

---

(19) Je retiens d'une interview relativement récente de l'écrivain les termes suivants : « Comment voyons-nous les gens ? Par de petites lucarnes, une heure, deux heures, trois heures par jour, mais le reste du temps, où sont-ils ? Ils disparaissent dans de grands trous. On ne les voit plus. Qu'est-ce qu'ils font pendant tout ce temps ? On tâche de meubler les vides par une espèce de ciment, d'histoire fabriquée qui se veut rassurante, mais qui, en fait, ne l'est pas du tout, qui finalement est désastreuse et affolante. Je ressens tout cela d'une façon violente, et même cela m'obsède » (in *L'Express,* 5 avril 1962).

ALAIN ROBBE-GRILLET
ET LE COUPLE FASCINATION-LIBERTÉ

> *Quand on a un tel désir de convaincre,*
> *il est intéressant de voir qu'on commence*
> *à convaincre.*
>
> (Le Figaro littéraire, 23 février 1963.)

Alain Robbe-Grillet a commencé par s'élever contre « le cœur romantique des choses », une douteuse solidarité entre l'homme et l'univers, qui finalement aliène l'un et l'autre, l'un à l'autre au profit d'une conception tragique — vaguement masochiste — de la vie, contre le règne de l'adjectif, et du vocabulaire analogique, contre la signification à tout prix. Il a d'abord essayé d'instaurer une vision plate, neutre, refusant ainsi la communion, se refusant à la tragédie et à son corollaire l'humanisme, proclamant que le monde n'est ni signifiant, ni absurde, mais qu' « il est, tout simplement ». Pour servir cette vision mate de l'En-dehors, il privilégiait tout naturellement le regard, et plus particulièrement le regard appliqué aux contours. Armé de ce regard, il s'agissait d'apprécier, de noter les rapports, afin, dit-il « de mesurer les distances entre ce qui est séparé et d'identifier ce qui ne l'est pas » et, le monde décrassé de l'approche baveuse traditionnelle qui le dissimule, de distinguer ce qui est l'homme et ce qui n'est pas lui. Le regard se trouvant être un instrument de séparation, l'écriture était le compte rendu d'un nettoyage. Notons ici que, se défendant de vouloir faire une littérature de l'objectivité impossible, il situait nettement son entreprise comme étant orientée « selon (son) point de vue » puisque « je n'en connaîtrai jamais d'autre ». C'est bien le « je » qui parle et se pose face au monde, mais du moins tente-t-il avec force de voir le monde. Ainsi, ce travail de vision neutre relative, surtout perceptible à partir du *Voyeur*, était-il essentiellement de situation et, pour finir, de libération : les choses renvoyant à elles-mêmes, l'homme se trouvait renvoyé à ce qu'il est : libre, ou plutôt, susceptible de l'être (1).

On n'a pas manqué, face à ces déclarations d'intention, d'ouvrir le procès des décalages, voire des contradictions qu'il n'est pas impossible de relever entre les principes et les œuvres. *Les Gommes* ne sont pas un roman orthodoxe, a-t-on dit, èt pour cause, puisque la doctrine a été élaborée après coup... A partir de *Dans le Labyrinthe,* se dessinerait une évolution qui confinerait au reniement dans la mesure où la vision, d' « objectale » deviendrait fantastique, poétique... Une certaine critique serait, autant que le romancier lui-même, responsable des fluctuations doctrinales... On oubliait volontiers qu'il n'est pas possible à la Critique — fût-elle celle de Roland Barthes — d'orienter totalement une œuvre, que si Robbe-Grillet a écrit « Une Voie pour le Roman futur » après *Les Gommes,* c'était surtout pour se défendre et s'affermir... On oubliait aussi totalement que jamais

---

(1) « Ce n'est en fin de compte que conduire dans ses conséquences logiques la revendication de ma liberté » (in « Nature, Humanisme et Tragédie »).

la vision objective n'avait été l'illusion de l'auteur de *La Jalousie.* Cela, avec d'autres détails, le romancier nous le rappelait dans des réflexions plus récentes, qu'elles prissent pour prétexte la publication du ciné-roman *L'Année dernière à Marienbad,* une méditation capitale sur la description absolue de Raymond Roussel, des notes sur la Réalité, le Temps, etc., dans le roman d'aujourd'hui (2). En dénonçant dans une certaine mesure « l'illusion réaliste » dont il avait été la victime dans *Les Gommes* et, pour une moins grande part, dans *Le Voyeur,* le romancier amendait les principes sur lesquels il avait semblé jusque-là fonder le plus clair de son pouvoir. Il asseyait mieux son œuvre sur le parti pris totalement humain du regard, puis sur le pouvoir de quête, et enfin de création de l'écriture, fût-elle cinématographique. Après nous avons demandé de tendre vers l'objet, il nous demandait de croire au regard support de cette tension, enfin, de nous en remettre à la parole qui secrétait ce monde de la recherche, et de ne croire qu'en elle. En se précisant, si l'on veut en s'intériorisant avec plus de conséquence, l'intention témoignait d'un engagement total, d'un accomplissement dans la littérature.

Dès lors la Critique qui, en se trompant d'ailleurs, avait difficilement accepté qu'on parlât d'objectivité et d'objet, ne pouvait plus du tout admettre qu'on lui imposât le terrorisme de l'écriture, en un moment « historiquement » si mal choisi. Après avoir été le dictateur de l'objet, Robbe-Grillet passait, passe encore peut-être, pour le monarque absolu de l'Art pour l'Art.

Par les notes qui suivent, nous voudrions re-privilégier ces valeurs de recherche et de conviction sur lesquelles le

---

(2) Tous les essais ont été réunis dans le volume, *Pour un Nouveau Roman.*

romancier a tant insisté et voir d'un peu près, au niveau
de l'écriture, ce qui sous-tend ces partis pris qu'on a, sans
doute à tort, qualifiés de contradictoires.

« Œdipe ou le cercle fermé », dit Bruce Morissette (3)
pour résumer d'une formule le premier roman, *Les Gommes*.
Rien de plus problématique en effet que la quête du personnage central, Wallas, et rien de plus fatal que l' « intrigue » ou le dessin de l'œuvre, que nous pourrions schéma-
tiser ainsi : Wallas, envoyé pour enquêter sur un crime
que l'on croit commis mais qui ne l'a pas encore été, est
finalement celui qui, malgré lui, le commet. L'enquêteur,
en somme, moderne Œdipe (4) à la recherche d'un secret
bien gardé, est celui qui tue. Ni roman policier, ni tragédie
grecque, le récit emprunte pourtant à l'un et à l'autre leur
ressort essentiel : la fatalité. Et déjà le lecteur s'interroge,
à la lumière des déclarations il est vrai postérieures du
romancier, sur la vraie nature de cette œuvre eu égard au
« dogme » de la tragédie refusée, de l'humanisme dérisoire, de la douteuse solidarité moi-univers. Autant et peut-
être plus que de vision « relative » objective, *Les Gommes*
vivent de ces deux impressions éminemment tragiques : la
pitié et l'angoisse. Sans condamner grossièrement un roman
publié en 1953 au nom de déclarations de 1956 et 1958,
il n'est pas sans intérêt de souligner cela, touchant des
thèmes capitaux que nous verrons peut-être demeurer même
quand la rigueur aura prévalu.

Quelle est la situation de Wallas, en effet ? Il est prisonnier d'un labyrinthe de fausses significations. Sur le plan
du mystère qui l'occupe, tout d'abord. Plongé tout de

---

(3) Dans son livre *Les Romans de Robbe-Grillet.*
(4) A vrai dire le parcours-dédale et la démarche-perdition — voir
ci-dessous — justifieraient un rapprochement tout aussi éclairant avec la
légende de Thésée dans le labyrinthe.

suite dans l'inconnu, il lui faut paradoxalement commencer
par se disculper lui-même du crime, car on l'a, un instant,
soupçonné. Puis, il se heurte aux « versions » et aux inter-
prétations du crime, qu'on tente de lui imposer comme
autant de solutions mais qui, tombant toutes sous le coup
de l'invraisemblance, lui apparaissent comme autant d'essais
ratés, minables, pour approcher la « vérité » qui se dérobe.
A cet égard, les commères, les habitués du bar où Wallas
se rend, et surtout le commissaire Laurent qui « mène »
l'enquête, sont autant de tentateurs, de pièges. Et puis,
finalement, mis sur la piste un jour par une lettre qui ne
lui était pas adressée — on peut voir là le signe d'une
présence fatale, si l'on veut — il se présente chez Dupont,
la « victime », comptant bien y mettre la main sur l'assassin. Un homme est là, en effet. Ils se surprennent mutuellement, Wallas tire : l'homme qui s'écroule n'est autre que
Dupont, cependant qu'au même instant le téléphone sonne,
où la voix du commissaire Laurent annonce triomphalement
que... Dupont n'était pas mort ! L'En-dehors n'est qu'un
jeu subtil, cruel, de pièges.

Quant au monde dans lequel Wallas se débat avant d'en
arriver là, c'était un univers de signes menteurs, comme
on s'en doute. Ce terme, certes, nous oblige à une réflexion :
menteurs, ces signes, pour qui voulait, comme Dupont, à
tout prix trouver un sens. Et, ici, s'impose l'idée, à vrai
dire guère éloignée des affirmations magistrales postérieures
de Robbe-Grillet, que la faute, précisément, est de chercher
un sens. C'est sans doute en cherchant l'intention de cette
histoire, en voulant à toute force la « boucler » dans un
circuit raisonnable, que Wallas s'y enferme et s'en constitue le prisonnier. La leçon d'un tel échec, alors, serait
claire : vivre en paix avec le monde, ce serait l'avoir dégagé
de toute interprétation, l'avoir « gommé », l'avoir nettoyé
de tout sens. Wallas se perd dans sa propre question, la

tragédie, ici, est faite de son attitude œdipienne-question-
nante. Il lui suffisait, pour survivre innocent, de regarder
le monde innocemment et, comme nous y invitera le théoricien du « Roman futur », de se borner à constater son
Etre-Là.

En revenant sur ces signes « menteurs » qui induisent
l'enquêteur « en tentation », on remarque l'importance des
erreurs d'itinéraire, des fausses reconnaissances. Dans la
ville, il se perd plusieurs fois, et comme elle est un entre-
lacs de rues anonymes, quasiment identiques, il va et vient,
cherchant l'issue, comme enfermé dans un dédale inextricable, fatal. Il croit se reconnaître, revient sur ses pas,
tourne en rond, constatant d'ailleurs au passage que la
cité est entourée d'un boulevard circulaire sur lequel lui et
d'autres personnages se retrouvent périodiquement. Cercle
et identité sont deux dimensions du réel interrogé. La
recherche est tout naturellement un trajet qui s'y perd.
De même, Wallas, dans le tramway, se perd en conjec-
tures sur une conversation entendue : elle lui semble avoir
quelque rapport avec son « histoire », mais est-ce bien
sûr ? Il hésite, y repense, se heurte encore là à la profonde
équivocité de cet En-dehors qui l'encercle. Ayant rencontré
madame Dupont, attiré qu'il était par cette librairie où elle
vend, il s'interroge longtemps sur le rôle qu'elle peut bien
jouer dans cette affaire : elle n'en a pas, elle se limite à
la présence dans cette boutique de son corps sans doute
désirable, de sa voix grave : à *sa* présence. Ce qui le rend
perplexe, c'est aussi le double dans la vitrine de la librairie
de la maison de Dupont, double qu'il retrouvera sur une
carte postale non sans une certaine émotion. Cette « reproduction » ne fait que lui poser plus fortement la question de l'En-dehors, parfaitement autre et solidifié après
passage au miroir : figé dans cette représentation nette,
le monde à la fois renvoie à lui-même et me pose la ques-

tion du sphinx : Qui suis-je, qui es-tu ? Et ce système totalement autre, qui est là si totalement, il me fascine. Si autrui me trompe, le monde, lui, m'éblouit. Et, ainsi, Wallas, enfermé, flotte-t-il, erre-t-il de faux-sens en contresens, puisque, au lieu de voir le monde, il en subit la question. C'est qu'il lui cherchait une intention.

C'est bien pourquoi il est impossible de considérer les objets, les êtres, les choses comme innocents, dans cette « affaire » qui fait tout le drame du personnage. Leur présence est si forte, leur Etre-Là atteint un tel degré de sur-expressivité, que la seule défense de l'homme est sans doute dans cette question qu'il leur adresse. Quand Wallas arrive dans la ville, il est contesté par elle : on aimerait dire, en s'aidant d'un jeu de mots, qu'elle le con-cerne. Il répond par l'attention. Ce faisant, il se perd, mais c'était aussi la seule manière de se sauver... Fasciné par le monde qui l'offusque et le menace de sa présence, fatale, il lui cherche librement un sens, jusqu'à subir le sort que cette attitude lui réservait.

La technique des *Gommes* était celle du romancier Asmodée, volontiers omniscient, qui passait d'un personnage à l'autre, privilégiant tour à tour telle perspective, telle imagination, tel regard.

Dans *Le Voyeur,* un point de vue subsiste seul : celui d'un narrateur invisible, anonyme, qui, à certains moments, comprend le point de vue de Mathias, le voyageur de commerce qui est au centre de l'histoire. Ainsi, il y a intériorisation évidente par rapport au premier roman (5).

---

(5) Le titre se justifie sans doute davantage parce que 1°) un troisième regard intervient : celui du petit Julien, qui a été seul à voir le drame et 2°) du fait que nous empruntons nous-mêmes le regard en creux du narrateur anonyme et absent. Regard incisif, violent, inquisiteur et qui fait cette lumière dont parle joliment Maurice Blanchot.

On connaît le sujet du *Voyeur*. Dans une île où il a
abordé le matin, un viol, auquel nous n'assistons pas, a
été commis vers midi par le voyageur de commerce Mathias
sur la personne d'une petite fille. Le voyageur repart de
l'île le soir. Le livre se divise en deux parties : avant le
viol, après lui. Avant : Mathias y pense. Après : il le
cache. Entre ces deux processus temporels, l'instant de
l'acte s'inscrit dans le livre sur la page blanche qui fait
hiatus. Bien entendu, l'intérêt est ailleurs que dans l'anecdote et, en reprenant la remarque que nous avons faite à
propos de l'intériorisation du débat, on est tout naturellement amené à poser ici de manière privilégiée la question
du rapport moi-monde tel qu'il était indiqué dans *Les
Gommes* et, peut-être, déjà modifié ici. Dans une œuvre
où il est d'abord nécessaire d'égarer les soupçons, quelle
valeur va revêtir le labyrinthe ? Dans une entreprise où,
dès le titre, le regard est tout-puissant, quelles seront les
aventures de la description ?

Les objets « remarquables » ne manquent pas et s'imposent avec force. Il est difficile d'établir une comparaison,
à cet égard, avec l'univers étouffant et quelque peu baroque des *Gommes*. Il règne dans *Le Voyeur* une atmosphère claire, une lumière violente et nette qui semblent
découper les objets : cela tient au lieu et à l'heure, puisqu'il s'agit, en plein jour et même surtout vers midi, d'une
île quasi-déserte et fortement ensoleillée. On dirait que
ce temps et ce lieu ne sont tels que pour servir l'extrême
attention et l'acuité du regard. Est-ce la volonté de révélation qui crée les conditions de la révélation ? L'Espace-Temps du récit est-il inventé par Robbe-Grillet pour
nous aider à saisir l'En-dehors, pour, de façon exemplaire,
nous donner à voir ? C'est dans cette lumière volontaire,
comme hallucinée, que se détachent des objets, des formes
qui, soutenus par le retour en leit-motiv de leur obsé-

dante présence, finissent par constituer un monde-signe
très particulier. Nous sommes bien loin de l'innocence :
aussitôt débarqué, Mathias est en proie à un souvenir d'enfance, absurde et prenant à la fois, sans doute lié au vol
des mouettes... aussitôt après, il ramasse une ficelle ; enfin,
il regarde avec attention une petite fille. Voilà trois événements qui, dans le cadre d'une pure description de l'En-
dehors, ne sont rien, rien d'autre qu'eux-mêmes. Or, qu'on
juge de leur rapport dans cette page remarquable qui est
comme l'ouverture du drame :

« On lui avait souvent raconté cette histoire. Lorsqu'il
était tout enfant — vingt-cinq ou trente années peut-être
auparavant — il possédait une grande boîte en carton, une
ancienne boîte à chaussures, où il collectionnait des mor-
ceaux de ficelle. Il ne conservait pas n'importe quoi, ne
voulant ni des échantillons de qualité intérieure ni de ceux
qui étaient trop abîmés par l'usage, avachis ou effilochés.
Il rejetait aussi les fragments trop courts pour pouvoir jamais servir à quoi que ce soit d'intéressant.

» Celui-ci aurait à coup sûr fait l'affaire. C'était une fine
cordelette de chanvre, en parfait état, soigneusement roulée
en forme de huit, avec quelques spires supplémentaires ser-
rées à l'étranglement. Elle devait avoir une bonne longueur :
un mètre au moins, ou même deux. Quelqu'un l'avait sans
doute laissé tomber là par mégarde, après l'avoir mise en
pelote en vue d'une utilisation future — ou bien d'une
collection.

» Mathias se baissa pour la ramasser. En se relevant il
aperçut, à quelques pas sur la droite, une petite fille de sept
ou huit ans qui le dévisageait avec sérieux, ses grands yeux
tranquillement posés sur lui. Il esquissa un demi-sourire,
mais elle ne prit pas la peine de le lui rendre et ce n'est
qu'au bout de plusieurs secondes qu'il vit ses prunelles
glisser vers la pelote de ficelle qu'il tenait dans la main,

à la hauteur de sa poitrine. Il ne fut pas déçu par un examen plus minutieux : c'était une belle prise — brillante
sans excès, tordue avec finesse et régularité, manifestement
très solide » (6).

On peut parler ici à la fois d'innocence et d'un brillant
exercice de fascination. D'une part, cette page offre toutes
les caractéristiques de la banalité, de la neutralité. D'autre
part, il est frappant de voir ces objets séparés de l'En-
dehors, sur le fond duquel ils ressortent avec une rare
force. Cela est d'autant plus remarquable quand on sait
que le drame — viol et strangulation d'une fillette — qui
va se jouer dans l'île est tout entier contenu dans ces lignes,
tout entier supporté par ces objets et signes : l'obsédant
souvenir d'enfance, la ficelle, l'étranglement de l'un de ses
bouts. Il n'est jusqu'au « huit » qui, avant même — et
pour cause — que Mathias ait choisi « sa victime », ne
signifie à la fois, déjà, le regard et le parcours... Dès lors,
il n'y a plus rien d'innocent dans ce tableau quasi-immo-
bile, d'une fixité rigoureuse : c'est l'exercice d'une fascination, de la part de l'En-dehors, d'une fascination qui,
soutenue par quelques autres éléments épars, semble pousser
à l'acte. C'est donc sans doute à tort qu'on a cru voir
dans ces objets le simple reflet d'un désir obsessionnel chez
le personnage : le rapprochement « fortuit » de la ficelle
et de la fillette, le recours « accidentel » à la tiédeur de
l'enfance préexistent sans doute aucun à la « décision »
de Mathias, et ne font pas que lui signifier son désir : ils
le provoquent. L'En-dehors n'est pas coupable seulement
parce qu'il serait « coloré » par le personnage : il a perdu
toute innocence parce qu'il le colore. La description constate
cette action tentatrice. Et ce ne sera plus tout à fait la
rencontre neutre de deux séries d'événements quand, quel-

_____
(6) *Le Voyeur*, pages 9-10.

ques pages plus loin (7), face à Mathias qui tient toujours
serrée la pelote de ficelle et en sent avec plaisir le contact,
nous verrons la petite fille, appuyée à une colonne d'où elle
regarde le voyageur, prendre cette attitude que nous pourrions
appeler l'image archétypale de la vierge prisonnière atta-
chée au poteau pour le plaisir du maniaque. Plus loin encore (8), la même image dessine ce qu'il est déjà possible
de considérer comme la tentation. L'En-dehors prend au
piège le « regardant » : on le voit bien si l'on suit ces
mouettes qui tissent au-dessus du « héros » leur vol léger...
en forme de huit : à la fois souvenir d'enfance et support
actuel du thème du regard. On le voit encore en considé-
rant les touffes d'algues vertes aperçues en débarquant et
le sous-entendu érotique qu'elles recouvrent probablement.
De même pour ce « signe gravé en forme de huit » que
Mathias remarque dans la pierre du quai, et qui est produit par un anneau que l'eau a sans cesse balancé, depuis
toujours, contre le bord. Mais il faut mettre hors pair cet
article de journal, découpé récemment dans *Le Phare de
l'Ouest* et qui, nous l'apprendrons plus tard, ne relate pas
autre chose qu'un viol. Nous sommes là, et davantage encore que dans *Les Gommes,* semble-t-il, à la source même
de la tentation. Il est devenu difficile de parler de libération, certes, quand le personnage, prisonnier du monde
qui le cerne, le subit comme un destin (9).

---

(7) *Id.,* page 22.
(8) *Id.,* page 29.
(9) Sans qu'il nous semble d'ailleurs possible de rejoindre ici les
perspectives marxistes sur la prolifération de l'objet, qui, décollé de tout
sens, se révèlerait appartenir à l'ère de l'échange, abstraite, par opposi-
tion à celle de l'usage, concrète. (Voir à ce sujet les analyses récentes
de Lucien Goldmann.) L'objet ne prolifère pas. Il est qualifié d'un sens
au départ. Il est privilégié en tant que support de ce sens, surtout
érotique.

Tous ces éléments mènent à l'acte. Mais on comprend que, son crime accompli, la rencontre sur le chemin d'un cadavre de grenouille, cuisses écartelées, soit pour Mathias et pour nous plus qu'un cadavre de grenouille. Que le regarde du jeune Julien, qui le fixe, soit aussi plus qu'un simple regard et que nous y re-trouvions une forme *déjà* bien familière : « Cependant c'étaient des yeux gris très ordinaires — ni laids, ni beaux, ni grands, ni petits — *deux cercles parfaits et immobiles, situés côte à côte et percés chacun en son centre d'un trou noir* » (10). Qu'enfin l'affiche de cinéma, qu'on vient de changer, lui paraisse sibylline, à la fois illisible et trop claire : illisible, parce qu'il y projette son labyrinthe personnel ; trop claire, et elle l'est de toute manière pour nous, parce que le titre en est : « Monsieur X sur le double circuit ». Or, il est précisément en train d'achever le périple — ou circuit double — destiné à faire prendre le change sur son véritable parcours. A cette conscience naguère innocente et fascinée, maintenant fascinante et coupable, le monde est encore un labyrinthe auquel elle se cogne comme un papillon trop malin dans sa prison de lumière, soit qu'elle s'y soit tout à l'heure perdue, soit qu'elle la redouble maintenant volontairement. Quand, au soir de ce périple où il marche sur ses traces pour mieux les confondre, Mathias repartira, il se trouvera avoir accompli un parcours en forme de huit. Comme dans *Les Gommes,* le cercle s'est refermé, mais, cette fois, il est double.

Pourtant, il est facile de le noter, *Le Voyeur* se distingue fortement du roman précédent. En premier lieu, le monde en-dehors n'a jamais mieux « paru », il n'a jamais été aussi nettement visible. Et c'est un paradoxe que cet En-dehors chargé de signes et de tentations pour l'homme

---

(10) In *Le Voyeur,* page 214. C'est moi qui souligne.

en soit en même temps aussi séparé : il enchaîne, captive, et pourtant recule dans la lumière, il ne saille que sous la pression répétée du regard qui l'interroge. Dans la description, ce monde est affranchi et semble vivre pour lui. C'est qu'ici il faut distinguer l'ordre des événements et celui de l'écriture. Sur le plan des événements, il y a emprisonnement du personnage. Mais, sur le plan de l'écriture, et c'est là le deuxième aspect intéressant du livre, il y a libération : le monde est nettoyé. Mathias, après tout, sort indemne de son aventure : son « récit » redoublé a réussi ; ce cercle double qu'il laisse *derrière lui,* il est capital de remarquer qu'il n'en est plus le prisonnier au moment même où il l'achève. Il s'en va, libre, et nous lègue cette trace mensongère en guise de vérité fossile. Par l'écriture, il s'est rendu indépendant de cette fatale solidarité monde-individu qui l'avait d'abord induit à « mal faire ». La description rend fidèlement compte de cette libération, d'ailleurs difficile (cf. les évanouissements de Mathias, ses errances finales, sa peine à mettre un point à sa démonstration), en montrant l'homme qui, à partir de son crime, s'affranchit toujours davantage de cet univers qui le menaçait d'abord, au point de faire servir à son usage le labyrinthe qui le perdait tout à l'heure. Quand le personnage écrit sa trace « distanciatrice », quand le romancier nous révèle cette distanciation par l'usage décapant qu'il fait de la description, c'est au fond le même pouvoir qui est au travail. L'œuvre nous apparaît ainsi, à la considérer dans son ensemble, sous une double dimension fascinée-fascinante qui prépare sans doute une évolution capitale. Peut-être la « récupération » n'est pas loin ?

Dans *La Jalousie,* tout est vu par le regard, tout est pensé et repensé par la conscience d'un mari soupçonneux qui, témoin oculaire de quelques scènes, témoin imaginaire

de quelques autres entre sa femme et un autre homme,
cherchant la faute, obnubilé par le contact possible, regarde
passionnément, ressasse sans fin. Il regarde, mais il imagine.
Il observe, mais il s'hallucine sur des phantasmes : nous
voilà pour la première fois totalement au pouvoir d'une
conscience et ce n'est plus seulement la moitié du récit,
comme dans *Le Voyeur,* qui nous retient dans les rets
d'un esprit occupé par l'En-dehors, c'est le livre tout entier.

Cette conscience, pourtant, ne se donne pas pour telle
d'abord, puisqu'elle ne s'exprime pas. Et le lecteur pressé
peut facilement croire, entretenant le contre-sens sur les
intentions de l'auteur, à une tentative de description objective. D'autant plus d'ailleurs que l'écriture semble se donner
pour objet un En-dehors « déphasé », se donnant sous
le signe du non-sens, d'un non-sens qui relèvera, pour ce
même lecteur, de la prolifération d'objets devenus fous en-
chaînant le regard à la contemplation de leur Etre-Là souverain. Marx est-il enfin au rendez-vous ? Mais quelques
indices révèlent la présence effective d'un troisième personnage à l'affût, présence qui soutient les visions propo-
sées : un fauteuil qu'on vient de quitter, alors que A et
son ami, Franck, sont encore assis ; un verre qu'on vient
de vider ; des pas qui s'éloignent... Dès lors, il est permis
de reconnaître en *La Jalousie* le roman qui illustre au
mieux les « théories » de Robbe-Grillet parlant de subjectivité totale, de réalisme. Voilà un regard-de-quelque-chose,
une conscience-de-quelque-chose absolument parfaits, ou
plutôt les plus parfaits possible. Le « Je » ayant été supprimé, et l'ombre qu'il fait sur le monde, nous sommes
à la pliure même du moi et du monde, à leur articula-
tion pour la première fois. Cette subjectivité qui se propose
à nous immédiatement, elle est d'une grande richesse :
cherchant passionnément à saisir le quelque chose qui sa-

tisfera son sado-masochisme de jaloux, le personnage en
creux qu'est le mari ne se contente pas, nous l'avons dit,
de la seule vision : il repense telle scène, il se « repasse »
le film de telles rencontres, d'un contact fugitif, de gestes
saisis au vol. Mieux encore, il imagine ce qui aurait pu être,
ce qui a peut-être été, parcourant librement les différents
claviers du temps mental, usant de toutes les distorsions,
enfin se livrant à une espèce d'onanisme intérieur (11) où
tout se confond et s'exacerbe. Cette conscience hyperten-
due, hyper-attentive est donc encore une fois une conscience tentée par l'En-dehors, malheureuse, fascinée.

Mais, par une sorte de loi dont nous avons vu la première application avec *Le Voyeur* et qui veut que le pouvoir
fascinateur de l'écriture soit directement proportionnel avec
la situation de fasciné du personnage, jamais plus que dans
La Jalousie il n'a jusqu'à présent été question de mesurer,
d'arpenter, de situer, enfin de distancer par le regard, sépa-
rant le monde de l'homme afin sans doute, comme le dit
quelque part le romancier, — nous l'avons déjà cité —
« de mesurer les distances entre ce qui est séparé et d'identifier ce qui ne l'est pas ». On connaît l'importance de la
localisation et de la géométrie dans l'élaboration de ce
mondes à arêtes vives, contrastes forts : ombre-soleil, si-
lence-bruit, jour-nuit, et l'on se souvient de ces descriptions
étonnantes : la bananeraie, la terrasse, le chant des oiseaux,
A se peignant, etc., visions absolument nettes par la grâce
desquelles l'En-dehors nous apparaît parfaitement nettoyé.
Est-ce que la description, ici, irait donc contre « la solidarité entre notre esprit et le monde » ? Sert-elle, enfin, uniquement à définir ma position dans le monde ? Ce monde,
lui, est-il neutre ? Il est, malgré toutes ces apparences, bien

---

(11) Il est même possible qu'il y ait, un moment, masturbation effective.

difficile de répondre par l'affirmative, quand on sait que
ce réel, vécu ou imaginé, l'est par une conscience malade,
et qu'il rend gorge, littéralement, sous la pression de qui
l'interroge... C'est là qu'il faudrait parler de cette « acuité
démentielle de la vue » que Robbe-Grillet attribue justement à Raymond Roussel (12). Le regard qui sépare ne
serait en réalité qu'un regard séparé. La conscience malheureuse cherche, questionne, met l'En-dehors à la torture, et
quand celui-ci n'a rien à avouer, le regard le parcourt désorienté, arpentant absurdement telle parcelle de terrain ou
tournant en rond dans telle portion de temps... puis il
revient à la maison qui contient A, et Franck, à la chambre
qui abrite sa femme avec ses gestes, ses rites, ses objets
patiemment fouillés. C'est là que nous rencontrons les supports privilégiés de cette interrogation-viol : le mille-pattes
écrasé sur le mur, et qui dénonce la tranquille puissance
de Franck, qui l'écrasa ; la lourde chevelure brune de A,
profonde, brillante, peignée — caressée, dirait-on — par la
femme à sa toilette ; le camion, dont le bruit, la forte pul-
sation (c'est-à-dire la puissance) trouent de phantasmes érotiques voilés la nuit solitaire et impuissante du jaloux. Avec
cet esprit attentif jusqu'à l'obsession, nous allons donc du
non-sens désorientant d'un En-dehors qui n'a rien à dire
au sens trop plein d'un En-dehors fascinant. Des *Gommes*
à *La Jalousie* en passant par *Le Voyeur,* il y a ainsi progression vers un autisme profond de la conscience en proie
à l'univers des choses et des êtres. Menacée, elle s'enferme,
tourne en rond, vit de terreur, cependant que l'Etre-Là
s'impose avec violence.

La folie du personnage ne doit pas nous faire oublier
que, comme dans *Le Voyeur,* on peut constater la toute-

---

(12) In « Enigmes et transparence chez Raymond Roussel », *Pour un
Nouveau Roman,* 1963.

puissance de l'écriture. Mathias, écrivant son itinéraire en éloignant le monde, nous laissait, nous imposait de celui-ci une vision neutre-problématique. Le mari jaloux de *La Jalousie* arrange le réel, s'essaie sur lui : sursauts de la conscience prisonnière peut-être, mais déformation triomphante puisqu'elle constitue la matière même qui nous est donnée en lecture. Le roman est fait du contenu de la conscience obnubilée du personnage : si la maison, la bananeraie, le camion, la scutigère, etc., sont sans doute bien réels, ils ne le sont pas pour nous en dehors de la parole qui nous les propose, qui joue avec, qui fait et défait, compose et décompose cet univers comme un puzzle. Mais si cette activité est la preuve d'une défaite semble-t-il irréparable, elle signifie en même temps un redressement, elle esquisse la transformation du vaincu en montreur d'images, du fasciné en fascinateur. Récupération qui s'est faite en-deçà de la parole. Le livre problématique contient une fragile victoire qui, par la force de l'anonymat, nous touche immédiatement. Dans les *Gommes,* ce qui tentait Wallas nous tentait aussi : nous étions objets comme le personnage. Dans *Le Voyeur* et surtout dans *La Jalousie,* si le personnage est faciné par le monde, c'est lui-même qui nous fascine.

C'est dans une telle perspective inversée et résolument victorieuse qu'il faut sans doute envisager le produit le plus parfait de cette évolution. *Dans le Labyrinthe.*

Selon les apparences, *Dans le Labyrinthe* est encore — plus même que les œuvres précédentes — une histoire de la perdition. Le titre est d'abord le signe universel de l'impasse, et l'emprisonnement évoque à la fois le labyrinthe de l'obsession où se débat le mari de *La Jalousie* et les arcanes de la ville à secrets où se perd le Wallas des *Gommes*. Quelle est « l'aventure » ? Celle d'un soldat à la Büchner, fiévreux, délirant même, qui doit porter à un correspondant mystérieux le contenu d'une boîte à chaussures, mais n'y arrive pas et se perd dans un dédale de rues enneigées toutes identiques, y revenant toujours pour s'égarer de plus belle, y rencontrant des personnages bizarres, comme en rêve, et puis finissant par mourir dans cette chambre où, mystérieusement, le récit commençait. C'est bien le triomphe du cauchemar, l'aboutissement désespéré d'un long trajet qui, des *Gommes* à ce dernier livre, serait celui de la conscience désemparée en proie au labyrinthe de l'Etre-Là des choses pour, en dernier lieu, s'y perdre.

Or, cette image facile ne va pas avec l'impression qu'on retire d'une lecture profonde du *Voyeur* et de *La Jalousie*. Quant à *Dans le Labyrinthe*, c'est dire une toute autre « histoire » que de le raconter ainsi. Il ne peut pas échapper au lecteur attentif que le véritable argument du livre est en dehors de l'anecdote. Il suffit pour s'en convaincre de rétablir la perspective ; cette chambre d'où part le récit et où le récit s'achève, en réalité, nous ne la quittons jamais, ou du moins le narrateur ne l'a jamais quittée, car ce récit est écrit, nous est fait par un médecin, identifiable à la fin du livre et qui, rêvant devant un tableau accroché au mur et représentant en « gros » le lendemain d'une défaite, en fait sortir les personnages. Les utilisant au mieux de la vraisemblance, le narrateur s'intéresse notamment à ce soldat, à ce gamin qui le flanque dans la rue comme il le flanque dans la salle de café représentée sur le tableau, etc. A l'aide des quelques bribes de réalité extérieure dont il dispose dans la chambre, le « créateur » de l' « histoire » fait vivre le soldat dans la ville enneigée qu'il devine depuis sa fenêtre et le fait mourir dans la pièce même où il écrit. On s'explique alors le terme de fiction — s'opposant à celui de témoignage, de message — par lequel Robbe-Grillet nous « avertit » de son œuvre. Par là se légitiment

aussi ces curieuses ratures au cours du récit, quand, au
niveau de l'écriture, il y a reprise d'un détail pour le cor-
riger par un autre : c'est qu'il s'agit d'une œuvre écrite,
dont la réalité première est dans l'écriture, dont la seule
réalité même est dans l'imagination triomphante qui s'exprime par l'écriture. Tout « l'intérêt des pages descrip-
tives », dit quelque part le romancier, « n'est plus dans
la chose décrite, mais dans le mouvement même de la
description » (13).

Cependant le narrateur est habile — ou le romancier
avec lui. Ce n'est qu'aux derniers mots du livre — si l'on
en excepte une indication fugitive au début — que ce
monde labyrinthique où nous étions, avec le soldat, plongés
et perdus, se détache de l'auteur et en même temps de
l'œil fasciné du lecteur pour prendre place dans une perspective lointaine, pour apparaître d'un seul coup distancié,
relatif, enfin : « Et toute la ville derrière moi », dit alors
la voix du récitant, valorisant comme seul présent, comme
seul réel la table sur laquelle ce témoin-créateur est en
train de mettre un point final à son conte. Certes, nous
sentions bien, au cours du récit, par l'intervention de ce
tableau suspendu au mur de la chambre, qu'il y avait de
temps en temps comme un « ressourcement » de l'anecdote.
Néanmoins, le narrateur a su nous parler au présent, il a
su utiliser la fascination par l'objet, cette même fascination
qui faisait les réussites du *Voyeur* et de *La Jalousie* et qui,
ici, nous prend au piège encore plus parfaitement. Il faut
une extrême attention pour se déprendre de l'atmosphère
« collante » qui règne dans cet univers feutré et malade,
et remarquons que la fascination dont souffre le soldat

---

(13) « Temps et description dans le récit d'aujourd'hui », *op. cité*,
pages 127-128.

n'est que le résultat de cette fascination exercée à notre encontre par l'écriture elle-même. Il faut dire ici que nous avons donc dépassé, même, le mouvement compensateur qui justifiait, chez ces « victimes » qu'étaient Mathias ou le jaloux, le retournement et l'agressivité scripturale. Nous sommes maintenant au niveau d'une aventure totalement créatrice qui n'a plus rien à voir avec une aventure subie, fatale, mais tout, au contraire, avec une entreprise d'expression qui met en jeu toute la liberté de l'être dans la parole. Et cette parole nous prend, nous fait obéir à son pouvoir (14).

Fixons une fois pour toutes le terme de cette évolution capitale qu'il est maintenant possible de discerner, depuis *Les Gommes* jusqu'à cette œuvre. *Dans le Labyrinthe* nous persuade pour la première fois totalement que le seul monde « réel » est celui que l'écriture nous propose. On retrouve ici le Robbe-Grillet théoricien, répondant, aux attaques de ceux qui l'accusent d'invraisemblances et mettent en cause la réalité objective de personnages ou d'événements, par une anecdote qui mérite plus d'attention qu'on ne lui en a accordé. C'est à propos du *Voyeur* (15) : ayant fait un voyage en Bretagne au moment où il écrivait son livre, le romancier s'aperçut que le vol des mouettes qu'il avait sous les yeux n'avait pas grand-chose de commun avec ce vol de mouettes qui revient si souvent, tel un leitmotiv, dans

----

(14) Ces « non, non, ce n'est pas cela », les recommencements, les scènes essayées qui ponctuent l'œuvre la marquent bien d'une volonté qui lui est transcendantale. On peut se demander si le « ressourcement » constant du récit ne procède pas d'une tentative de fascination exercée *également* sur les personnages, devenus fous, qu'il faut faire obéir, eux aussi, selon la vraisemblance, au schéma. Le thème de l'essai est peut-être présent dans *Les Gommes,* déjà, mais Wallas est faible et ne s'en « sort » pas.

(15) Cité dans l'article « Du Réalisme à la réalité », *op. cité,* page 139.

son œuvre. Et il eut la révélation, d'un seul coup, que cela lui était égal, que le vol de mouettes qu'il inventait dans l'Espace-Temps de son langage était bien plus « vrai » que ce vol qu'il avait, là, sous les yeux : l'un était muet, inutile, l'autre, le sien, en disait beaucoup plus. Et au détour de cette « illustration » Robbe-Grillet en vient à dire que le roman moderne — entendons d'abord le roman robbe-grilletien — ne cherche plus à dire la réalité, mais qu'il est au contraire une interrogation sur la réalité et même, sans doute, une espèce de discours sur « le peu de réalité »... Nous voilà donc au fait, qu'il était possible de voir se préparer depuis *Le Voyeur* : le livre n'est pas un portrait, c'est une question posée par l'écriture et résolue problématiquement par l'écriture.

Cette interrogation sur la réalité qui débouche sur un aveu du peu de réalité place donc le débat sur un tout autre plan et nous fait comprendre pourquoi, selon le conseil insistant du romancier lui-même, l'œuvre doit être prise au pied de la lettre, c'est-à-dire lue pour ce qu'elle dit et rien d'autre : elle ne renvoie à rien d'autre qu'elle-même, et surtout pas à un monde hors-jeu qu'elle essaierait de « rendre » Le roman apparaît alors comme une tentative non pas de photographier le réel, mais de faire se lever un réel immanent aux mots. C'est une aventure du langage. Elle met l'accent sur ce qui est également l'entreprise commune à bien des écrivains contemporains, d'ailleurs tout à fait dissemblables, et elle fait appel à une expérience quotidienne trop oubliée. Cette entreprise partagée par Raymond Queneau, Francis Ponge, Louis-René Des Forêts et, s'il faut remonter plus haut, vécue exemplairement par Raymond Roussel, c'est un pari sur le langage, aussi menteur soit-il par rapport au silence, comme seule expression non mensongène et Révélateur de l'En-dehors puisque c'est

l'homme qui en est le support, l'homme qui y est senti
et entendu. Quant à l'expérience banale oubliée, c'est celle
de la toute-puissance de l'Imagination. On pourra certes
trouver qu'il y a une certaine mauvaise foi à prétendre,
comme le fait Robbe-Grillet à propos de *L'Année dernière
à Marienbad,* que l'image intérieure de l'En-dehors s'impose
à tout coup comme seule vraie même quand elle se heurte
à son original chargé de la démentir. Pourtant cette mauvaise foi elle-même est révélatrice d'une attitude intéressante : il est sans doute plus honnête de prétendre ne
connaître le réel que par images — mensonges — inter-
posées, que de revendiquer à son profit une « objectivité » somme toute très illusoire. Qui est objectif ? Dans
ma vision du monde, dans ma parole, ce n'est pas le monde
que je dévoile, c'est moi-même. Et je me révèle, en tant
que tâchant d'imposer aux autres ma vision du réel :
l'écrivain parfois hésitant de *Dans le Labyrinthe* ne fait pas
autre chose. La Vérité, c'est-à-dire sa vérité, est dans son
langage. Comme nous tous, il est un fascinateur. Cette
parole qui témoigne de l'homme en train d'exercer le seul
pouvoir qui le fasse homme, c'est donc un exercice de
conviction.

Convaincre : c'est encore le mot-clef des ciné-romans, ou
des œuvres cinématographiques que sont *L'Année dernière
à Marienbad* et *L'Immortelle* (16). Et, avec ces œuvres,
il est bien tentant de revenir au mouvement de compensa-
tion, étudié dans *Le Voyeur* notamment, où la tentative de
libération est liée à la présence fascinante que le monde
impose aux personnages. Il semble que le romancier à

---

(16) Nous confondons dans notre analyse les deux expressions, le
ciné-roman rappelant et fixant dans le souvenir ce que l'œuvre cinématographique exprimait de manière privilégiée mais fugitive.

l'ouvrage *Dans le Labyrinthe* soit sorti du champ : cette fois-ci, il est metteur en scène, cependant que nous nous retrouvons avec le personnage central, et dans une certaine mesure soumis aux mêmes tentations que lui. Mais cette complicité finit par se retourner contre nous : lui aussi, cet « anti-héros » d'abord en butte à l'En-dehors, il nous impose finalement son Espace-Temps mental et nous retient prisonniers — non sans avoir éprouvé jusqu'au bout le poids fatal du monde.

Même impression déroutante, dans *L'Année dernière à Marienbad,* que *Dans le Labyrinthe,* tout d'abord. Le « cadre » est seulement différent : un grand hôtel international. Les personnages qui s'y meuvent sont également d'un autre milieu : oisifs élégants, domestiques muets et stylés. Et, au surplus, l'élément visuel emprunte son pouvoir au baroque, au poli, au luisant des marbres et du stuc. Mais, quand, suivant l'œil de la caméra — qui est celui du protagoniste — nous empruntons ces corridors toujours recommencés, c'est bien au creux du dédale que nous sommes, et tous les personnages rencontrés ont l'air de captifs. Tout semble d'ailleurs marqué du signe du dédale : l'architecture de l'hôtel, pages 168-169 ; la succession des couloirs, page 26 ; les itinéraires semblables, page 64 ; et jusqu'au tracé labyrinthique des dominos sur la table de jeu. A l'intérieur de ce labyrinthe inventé pour nous, tout est fixité : les statues, comme celle de Charles III, par exemple, imposent leur présence « incassable » et problématique ; et les personnages, quand ils ne sont pas frappés par cette immobilité de la non-signification, dérivent lentement comme en un aquarium de luxe, inaccessibles et pourtant liés entre eux par on ne sait quelle formule magique : « A l'intérieur de ce monde clos, étouffant, hommes et choses semblent également victimes de quelque enchantement, comme dans ces rêves où l'on se sent guidé par une ordonnance *fatale,* dont il serait aussi vain de prétendre modifier le plus petit détail que de chercher à s'enfuir » (17). En réfléchissant sur ces deux œuvres remarquables que sont *Marienbad* et surtout *L'Immortelle,* il faut remarquer combien cet élément proprement visuel de fixité ajoute au caractère fatal du labyrinthe où le personnage promène son obsession. En même temps, d'ailleurs, on ne peut s'empêcher de relier cet aspect « enchanté », comme suspendu, du monde extérieur à la prédilection que le romancier avoue quelque part pour l'opéra : ce charme est un rite, il introduit de manière frappante cette cérémonie-épreuve que constitue pour les protagonistes le passage solennel dans le monde raréfié de la passion. Enfin, en pensant à la fois au silence et à la musique exceptionnellement expressive qui se jouent autour de cette fixité étonnante, il faut bien prononcer le mot de sortilège...

C'est dans ce contexte tout-puissant que X, qui en subit comme les autres le charme mais s'en sert, va exercer son pouvoir sur la personne de A, la jeune femme qu'il désire. Tenté par ce décor, persuadé par la scène de théâtre représentée au début de l'œuvre et dont on n'a pas remarqué qu'elle joue sans doute ici le rôle de l'article de journal dans *Le Voyeur,* il persuade à tour tour. Comme *dans le Labyrinthe* où le récitant assurait son autorité sur nous par le moyen du récit, nous imposant comme vérité la vérité de sa parole *hic et nunc,* « tout le film de *L'Année dernière à Marienbad* », dit Robbe-Grillet lui-même, « est (...) l'histoire d'une persuasion : il s'agit d'une réalité que le héros crée par sa propre vision, par sa propre parole. Et si son obstination, sa conviction secrète finissent par l'emporter, c'est au milieu de quel dédale de fausses pistes, de

---

(17) C'est moi qui souligne.

variantes, de reprises ! » (18). Ces variantes, ces fausses pistes ne sont que le résidu de la fascination sur le personnage de ce monde qu'il voudrait faire jouer en sa faveur. Elles sont le fait de la résistance des choses, des êtres, du décor, de sorte que, parfois, en voulant convaincre violemment, il subit son propre charme que, problématique et « étant-là », l'En-dehors ne manque pas de lui renvoyer. Pourtant, il sort vainqueur de l'épreuve, il s'impose à A, son « histoire » a gagné.

Ainsi, l'œuvre, partant d'une certaine fascination subie, aboutit à une fascination exercée et victorieuse. *Dans le Labyrinthe* montrait — tout en le dissimulant à demi — un narrateur qui, à partir d'un environnement assez persuasif, inventait pour nous une aventure qui exprimait totalement son ascendant créateur. *L'Année dernière à Marienbad* nous fait voir également un « narrateur » qui, s'appuyant sur un environnement dont il subit aussi la persuasion, invente pour A — et pour nous— une histoire manifestant de manière tout aussi éclatante sa liberté créatrice. Au détour de cette comparaison qui éclaire la démarche du romancier, c'est donc le moment de noter ceci, qui est très remarquable : dans l'un et l'autre cas, la liberté du narrateur « gagne » aux dépens de celle de la « victime ». Il faudra nous souvenir de cette caractéristique quand nous poserons l'œuvre entière en face de ce principe maintenant clair, énoncé par Robbe-Grillet pour dire la complicité qu'il souhaite de cette liberté créatrice avec celle du lecteur : « Ce qu'il lui demande », dit-il au nom du « romancier d'aujourd'hui » s'adressant à son lecteur, « ce n'est plus de recevoir tout fait un monde achevé, plein, clos sur lui-même, c'est au contraire de participer à une création, d'inventer à son tour l'œuvre — et

_____

(18) *L'Année dernière à Marienbad,* page 12.

le monde — et d'apprendre ainsi à inventer sa propre vie » (19).

Cette vie inventée par le personnage et avec lui par le romancier pour emporter la conviction d'un tiers et servir de stimulant à la liberté du lecteur, ce n'est pas n'importe laquelle. *L'Immortelle* le prouve encore amplement. Dans un Istambul bien réel — en cela opposé à l'espace surtout mental de l'œuvre précédente — nous retrouvons le même mélange de fascination subie, de fascination exercée, et la même liberté créatrice au niveau de l'écriture. Le pouvoir subi, il l'est naturellement par ce personnage gauche et étranger dans la ville qu'est le jeune professeur. Que la poursuite à laquelle il se livre pour retrouver Lalé, qu'il a plusieurs fois rencontrée et qui, peut-être s'est donnée à lui, soit uniquement « intérieure, mentale » n'empêche pas qu'il se heurte à un labyrinthe bien réel : les réponses évasives, les rencontres sibyllines ou menaçantes, les fausses pistes font encore triompher la souveraine équivocité de l'En-dehors. Il faudrait faire un sort à part à tous les procédés de l'Identité et de la Fausseté dans ce film où l'on insiste fortement sur le peu d'importance et l'éternelle ressemblance de l'En-dehors : ce labyrinthe est, comme la ville des *Gommes* et le dédale des rues où se perdait le soldat, toujours semblable à lui-même ; c'est comme s'il était parcouru en rêve sans qu'on y bougeât jamais, suspendu dans cet espace immobile et éternellement identique... la technique de la perdition atteint ici son point culminant. Quant à Leïla-Lalé, elle n'oppose aux questions de N que réponses volontairement vagues, éludées, contradictoires, qui laissent son « poursuivant » dans la plus grande perplexité. Ainsi, par rapport à ce monde un peu « turquerie » et

---

(19) Ce sont les derniers mots de « Temps et description dans le récit d'aujourd'hui », in *op. cité,* page 134.

à dessein « bazar inquiétant », le protagoniste est constamment en porte-à-faux : on nous le montre en position de « recherche », d' « interrogation » embarrassée, enfin de fascination éprouvée... Or, en même temps, dans ces scènes imaginées où nous l'apercevons avec Leïla, il use avec elle, bien que sur un ton différent, des mêmes arguments persuasifs qu'employait l'X de *L'Année dernière à Marienbad*. Il s'impose à elle par une présence physique insistante, par une poursuite patiente, usante, qui finit par avoir raison — en imagination — de la « victime » puisque celle-ci s'offre, à l'occasion des fantasmes successifs, tour à tour comme l'incarnation de la grâce, de la gravité, du mystère, de la transparence, de la lascivité la plus facile, etc. Il est vrai que ces images portent toutes la marque de cette obsession de la mort, qui décide, quand l'événement est survenu, de leur défilement et de la ressemblance frappante des positions, des gestes avec ceux de la morte... Mais, précisément, à s'interroger sur le retour, en filigrane de toutes les situations, de cet instant où Lalé est fixée pour le personnage dans l'immobilité mystérieuse et obsédante de sa fin tragique, il ressort qu'André Varais, de fasciné se transforme en fascinateur : il joue de cette mort, il revient sur elle à la fois parce qu'elle l'obnubile et aussi parce qu'il veut la refaire, la nuancer ; il l'essaye et la gomme, puis la reprend, exactement comme le mari de *La Jalousie,* comme le narrateur de *Dans le Labyrinthe* faisaient et défaisaient le réel à leur gré, témoignant ainsi d'un pouvoir dont la fascination subie ne peut seule rendre compte. Hésitant, gauche, prisonnier, Varais est tout cela : mais il est aussi le maître de Lalé, il est aussi le montreur souverain de ces images dont il use avec la liberté qui, précisément, *fait* l'œuvre que nous voyons, que nous lisons. Le film que nous regardons, le livre que nous tenons ont un côté d'ombre : l'aliénation qui les a suscités ; un côté de lumière : la

revendication qu'ils constituent pour l'Imagination « gagnante ». On pense ici au pouvoir absolu dans l'écriture,
par l'écriture, tel qu'il s'impose chez Raymond Roussel,
dont Robbe-Grillet a précisément dit qu'il nous présentait
« un univers de l'évidence absolue qui enchante et décou-
rage l'explorateur » (20).

Pourtant, il faut nous interroger aussi sur l'usage de cette
liberté qui doit susciter la nôtre. Sur l'application qui en
est faite par le romancier dans les récits qu'elle s'invente.
C'est là que se déclare la tentation permanente du viol.
Le Wallas des *Gommes* est un assassin. Pourquoi ? Parce
qu'il est d'abord coupable d'avoir voulu savoir ce qui se
cachait derrière un fait problématique. Il a voulu « dévoiler » la vérité. Pour cette volonté de dévoilement, une
punition immanente. On aurait affaire ici, conjointement à
l'interprétation œdipienne de la recherche, à une intervention tout aussi œdipienne de la punition. Cette mise à
nu de la vérité que Wallas devrait se contenter de vivre
sans chercher à la connaître, c'est le viol de la mère :
entendons de la réalité-mère. Et le meurtre de Dupont auquel
il est parfois promis pour s'être mis en quête, il correspond assez bien à l'assassinat du père. Les deux faits étant
fatalement liés. Il est d'ailleurs question, comme pour cor-
roborer ce commentaire, d'un « manque » ressenti à un
certain moment par Wallas au cours de ses recherches,
manque persistant comme un regret, une nostalgie, un souvenir important qui ne veut pas revenir tout entier : cela
s'éclaircit enfin, il s'agit d'une promenade que Wallas a dû
faire, étant enfant, dans cette ville, avec sa mère... N'est-il
pas comme en train de la chercher de nouveau ? On sent

(20) In « Enigmes et transparence chez Raymond Roussel », *op. cité*,
pages 70-76.

sourdre là une vérité inavouable dont la poursuite et l'obstinée volonté de dévoilement portent un nom : le viol, supposent un châtiment : l'état de meurtrier.

Et c'est de viol qu'est réellement coupable Mathias, dans *Le Voyeur*. Sous l'influence, nous l'avons vu, d'un souvenir d'enfance — encore — et de quelques « tentations » de la part de l'En-dehors, il se livre sur une fillette à l'acte dont nous ne savons rien que par reflet et par le mystère dont le voyageur de commerce s'obstine à le voiler. Directement ou non, il est certain que *Le Voyeur* est un livre riche en signes de violence : c'est l'Objet tout entier qui est contaminé par elle. Conscience coupable ou conscience obsédée, la conscience de Mathias est en proie à l'obsession du viol.

Obsédé, le mari de *La Jalousie* l'est aussi : non seulement par le sentiment, la passion plutôt qui l'envahit, mais par ce dont cette passion se nourrit : visions, fantasmes érotiques plus ou moins déguisés : la scrutigère écrasée, les pulsations du camion, la chevelure de A sont autant de supports qui alimentent son « mal », lui « livrent » une A lascive, un Franck puissant. En face de ces images fortes, nous sentons — en creux — son impuissance et son obsession de la possession sadique : le viol est en filigrane de toutes les situations que ce tiers « maniaque » retourne dans son esprit.

Le sadisme de *Dans le Labyrinthe*, où les intentions sont bien claires sur le plan de l'écriture, s'il n'est pas érotique, n'en éclate pas moins dans la relation très particulière qui lie le narrateur à son personnage privilégié : le soldat. Celui-ci, descendu du tableau, est livré à cette aventure toujours recommencée, éternellement essayée, participant toujours davantage du cauchemar : le voilà en proie à la neige, à la fièvre, au délire, et mourant enfin, cependant que le narrateur qui nous donne l'aventure au fur et à mesure, nous confie : « Je suis seul, ici, maintenant, bien à l'abri... » et d'inventer dehors l'éventualité de la pluie, de la canicule, ou la réalité de la neige pour nous avouer : « Ici le soleil n'entre pas, ni le vent, ni la pluie, ni la poussière... » Le rapport narrateur-personnage est clairement un rapport sadique.

Le fantasme du viol est de nouveau dynamiquement présent et sous-tend de façon magistrale les deux dernières grandes œuvres : *L'Année dernière à Marienbad* et *L'Immortelle*, en même temps qu'il s'exprime admirablement dans une nouvelle toute récente : « La Chambre secrète » (21).

Née dans l'imagination de X à la suite des tentations que nous avons dites, l'intention de viol est fortement suggérée dans *Marienbad* par de nombreux plans du film : l'hôtel, le jardin et surtout la chambre de A sont les lieux où, de plus en plus à mesure que le récit progresse, la violence cherche à s'exercer. De nombreux signes viennent à l'appui : la poursuite constante à laquelle X se livre, la vision de A déchaussée par la course dans une allée du parc, A hésitant dans sa chambre entre les nombreuses paires de souliers que X, par la pensée, lui propose, ce plan où l'on voit A, appuyée contre la balustrade ou un socle de statue, se débattre sous la pression de X, et surtout les plans où, étendue sur son lit, elle s'offre au regard dans une position non équivoque. Si peu équivoque même qu'à cet endroit le romancier avait prévu d'indiquer l'ébauche d'un viol réel — du moins : réellement vu —, indication qu'Alain Resnais n'a pas retenue. Mais elle était peut-être superflue : tout parle de violence sexuelle dans ce film qu'on a voulu « cérébral ».

A, pour X qui l'imagine librement, lui est offerte : elle

(21) In *Instantanés*, 1962.

doit donc lui appartenir. Si nous disons : devait lui appartenir, nous avons la situation de *L'Immortelle*. N y joue
avec le corps de Lalé jusqu'à ce que, sans doute, elle lui
appartienne également... « Ce qui fait que la jeune femme »,
indique Robbe-Grillet, « se figera parfois, comme une statue
de cire du musée Grévin, ou comme une déesse, une pros-
tituée de convention, voire une photo érotique dans le style
le plus traditionnel, le plus naïf » (22). Le désir se satis-
fait à loisir. Mais il y a plus. A plusieurs reprises L, qui
dit une fois d'une voix dure mais équivoque : « Je n'ai
pas peur... », fixe la caméra d'un regard apeuré, le visage
comme figé par une crainte secrète, liée peut-être à la
présence insistante de N, ou davantage — ainsi que se
l'imagine N de façon révélatrice — à la violence que quelqu'un, par ailleurs, pourrait lui faire subir. Témoins de
cette violence mystérieuse dans l'évocation de laquelle le
protagoniste n'est pas sans se complaire : les chaînes qu'elle
porte, ce personnage porteur de lunettes noires qui semble
la suivre et ressortit à quelque *Histoire d'O* orientale, ces
dogues enfin, accessoires « méchants » indispensables.
Quant à la possession dont N., alias Varais, finit par se
représenter le déroulement rituel et délicieux, elle est ac-
compagnée de ce commentaire, dans le ciné-roman : « Elle
donne ici des signes d'affolement, de douleur, *ou* de trouble d'un autre ordre ; elle respire vite et irrégulièrement,
elle tourne le visage à droite et à gauche de façon convul-
sive » (23). On peut rattacher à cette image celles, nombreuses, répétées en séries, où le corps de Leïla-Lalé s'offre
complaisamment à l'imagination de N dans la position qui
signifie le mieux l'abandon à une force prédatrice : couché,
les cuisses légèrement écartées, une relevée, et les bras lar-

---

(22) *L'Immortelle,* page 10.
(23) *Ib.,* page 199.

gement ouverts... Enfin, un plan est particulièrement révélateur d'un sadisme de la main, venant d'ailleurs après plusieurs indications d'une tentation de la strangulation au cours de la caresse ; ce plan est décrit ainsi : « La main droite de N (intacte et non bandée) entre alors dans l'image et s'avance vers le cou de la jeune femme, l'enserrant dans une caresse qui semble tourner à l'étranglement. L ne fait pas un mouvement, mais ses yeux s'emplissent de terreur. » Et le plan suivant, variant la position, reprend le même geste : « Etendue sur le ventre, elle a le visage dans les fourrures. La main droite de N, intacte, caresse la nuque, puis commence à serrer la base du cou. La *victime* bouge faiblement » (24). Rien d'étonnant à ce qu'une certaine rumeur soupçonne N d'avoir purement et simplement supprimé L dont la mort, sur le plan de l'événement, reste problématique. Sur le plan de l'écriture, du récit qui se fait, découle au fur et à mesure des images, elle est claire au contraire : ce n'est que l'aboutissement du désir, lourd de contrainte physique ; c'est la possession radicalisée : la suppression.

« La Chambre secrète » — dont le titre même est sans doute une image-clef pour l'exploration de l'univers mental des personnages et pour une éventuelle psychanalyse de l'écriture chez Robbe-Grillet (25) — est une nouvelle publiée dans *Instantanés,* petit recueil riche de textes importants. Une lecture même superficielle oblige aussitôt à constater que c'est le lieu sadique par excellence, cette pièce qui emprunte son sombre éclat et ses tentures à l'univers pesant de Gustave Moreau, à qui le texte est d'ailleurs

---

(24) *Ib.,* plans 302-306. C'est moi qui souligne.
(25) La Chambre est un espace important dans *Le Voyeur* et dans *Dans le Labyrinthe,* en tant que lieu clos d'où part le récit. C'est un lieu érotique capital dans *La Jalousie, L'Année dernière à Marienbad, L'Immortelle* et « La Chambre secrète ».

dédié. Une femme gît, écartelée, au premier plan de ce qui est d'abord un tableau — point de départ, prétexte pour la fascination qui rappelle le tableau immobile source de *Dans le Labyrinthe* — encore figé. Cette femme est enchaînée fortement au sol — cf. les chaînes portées par *L'Immortelle* — et à une colonne. La chaîne est décrite de façon remarquable : « les maillons sont de forme ovale, épais, de la taille d'un *œil* (26) ». Curieuse image, mais capitale. Curieuse comparaison pour qui n'est pas prévenu, c'est-à-dire ne sait pas que regarder est déjà un acte sadique. Pour le lecteur attentif de l'œuvre, elle est là tout entière rassemblée, dans cette illustration inédite du viol par le regard. Cette femme est morte, poignardée à hauteur du sein droit par un homme dont il nous est dit qu'il est en train de s'éloigner, cependant que la chair laiteuse de la femme « semble éclairer la scène » (quel sadisme dans ce corps mort considéré comme source lumineuse !), faisant ainsi contraste avec la lourdeur sombre de cet espace criminel. Car toute la Chambre est contaminée, et même elle offre vraisemblablement, dit le texte, « d'autres sofas, tapis épais, amoncellements de coussins et d'étoffes, d'autres corps suppliciés, d'autres brûle-parfums »... Ainsi ce corps de femme qui nous regarde évoque-t-il comme tout naturellement d'autres corps disponibles pour un sacrifice violent. Et l'on nous présente la probabilité d'une violence au pluriel qui, encore une fois, est assez étonnante pour qui ne sait pas combien la femme, ici, se persuade, se violente, se supprime. Il y a plus. Voici les expressions qui servent à désigner au regard cette créature morte : « la gorge aux seins gonflés, la courbe des hanches, le ventre, les cuisses pleines, les jambes étendues, largement ouvertes, et la toison noire du sexe, exposé, provocant, désormais inutile... »

---

(26) C'est moi qui souligne.

On ne saurait mieux dire la qualité d'objet d'un corps
humain, sinon, comme le fait le récit, comme le faisaient
tous les personnages que nous avons vus à l'œuvre, en
revenant sur ce spectacle pour l'animer, le refaire, l'amé-
liorer : phantasme au niveau de l'écriture fascinatrice, le
tableau se met à vivre, en effet : l'homme quitte le premier
plan, la femme saigne et achève de mourir. Comme s'il
n'était pas évident, l'acte sadique en progrès nous est ainsi
offert à loisir, il est fait à loisir, il est répété librement. La
liberté, elle est là, en effet : dans l'esprit qui rêve sur ce
corps représenté, joue avec lui et le démantèle de nouveau.
Depuis *Le Voyeur,* et de mieux en mieux jusqu'à ce texte
remarquable, le pouvoir est donné à l'écriture souveraine
pour nous inventer, pour se créer une histoire où la liberté,
c'est d'abord la liberté de violer à loisir.

S'il faut, pour nous résumer, situer l'œuvre en quelques
mots, disons : elle naît d'un double mouvement : l'En-dehors
conteste et « tente » le personnage, celui-ci tente et conteste
autrui. Si nous cherchons à définir la position-au-monde qui,
comme dans tout roman, caractérise le « héros » au départ
de l'aventure, ce ne sera donc pas dans la découverte des
objets ou dans le portrait du monde étant là que nous pour-
rons surtout le faire. Non, l'homme, nous l'avons vu avec
le premier livre, est faible devant le monde, il est désorienté par son ambiguïté, contre lui il ne peut rien : il lui
faut « chercher » ailleurs et se récupérer : c'est ce qui
entraîne la narration vers l'expression d'une violence compensatrice, notamment d'origine sexuelle, exercée sur l'autre.
Et le récit, au terme de ce mouvement dialectique, arrive
à ne plus faire qu'un avec cette violence exercée dans la
liberté de la parole ou du geste (cf. les œuvres cinématographiques). Telle est la grande dimension de l'entreprise :
si la description, à l'intérieur du récit, est souvent le résul-

tat d'une fascination, le récit, lui, finit par être l'exercice d'une fascination. On voit en effet, à mesure que l'œuvre glisse vers la subjectivité généralisée, le monde non pas seulement se confondre avec la parole du narrateur, mais naître d'elle. Avec *Dans le Labyrinthe,* elle fonde totalement la réalité de « l'anecdote ». A ce niveau il est évident que Récit et Persuasion sont une seule et même chose. Le mouvement qui cherche à imposer la vérité par la parole, c'est en même temps la description de ce mouvement : c'est le livre, c'est le film. Nous avons, en d'autres termes, affaire au récit-arme, où narrateur et terroriste ne font qu'un. L'œuvre : *narration en tant que terrorisme.*

Si l'invention du récit est le produit de la persuasion d'un récitant, il est facile de voir que la liberté mise en œuvre pour inventer est cette même liberté qui vise à priver autrui de la sienne : cette aventure du langage qui a ses sources dans le viol libérateur, c'est donc pour nous le signe et l'exemple de la violence libératrice.

Cette écriture gagnante « à tous les coups » est-elle, comme le veut Robbe-Grillet, vecteur de liberté ? Si oui, c'est dans son élan créateur irrépressible. Aucun impératif métaphysique, aucune loi morale, aucune contrainte sociale n'empêchent ici la conscience de se revendiquer comme affirmation passionnée. Ces personnages sans châtiments ont retourné la contrainte du monde qui pesait sur eux comme une fascination et, si nous croyons que leur passion n'est pas si loin de la nôtre, il n'est peut-être pas sans intérêt, en effet, de puiser à leur enseignement l'exemple de l'humble mais définitif pouvoir, *hic et nunc,* de la parole.

Sinon, il n'aura pas été vain de mettre à jour les sources de ce pouvoir étonnant de l'Imagination créatrice.

MICHEL BUTOR, UNE DIALECTIQUE DU LIVRE

> *Il (le roman) est ainsi un proaigieux moyen de se tenir debout, de continuer à vivre intelligemment à l'intérieur d'un monde quasi-furieux qui vous assaille de toutes parts*
>
> *(Intervention à Royaumont, 1959.)*

En parlant du « Roman comme recherche », l'auteur de *Degrés* donne à son entreprise la plus haute ambition : embrasser dans sa démarche le plus de réel possible : « La recherche de nouvelles formes romanesques dont le pouvoir d'intégration soit plus grand joue donc un triple rôle par rapport à la conscience que nous avons du réel, de dénonciation, d'exploration et d'adaptation » (1). C'est signaler d'emblée que dans cette enquête profonde et totale un rôle capital est dévolu à l'attention structurante. De fait, pour un lecteur attentif de Butor, l'importance de la construction saute aux yeux. Pas un récit qui ne se livre beaucoup mieux à la seconde appréhension, tant la matière de l'ouvrage est contenue dans un corset solide, une forme rigou-

---

(1) « Le Roman comme recherche », in *Répertoire I*, page 9.

reuse. De plus en plus rigoureuse même et s'enrichissant à mesure que l'œuvre avance. C'est une constatation banale pour qui achève avec *Réseau aérien* (2) le périple commencé avec *Passage de Milan*. A l'édifice vertical constitué par le premier roman — mais qui pose déjà la question définitive de la saisie de l'Espace-Temps — se substituent avec *L'Emploi du Temps* et *La Modification* deux formes apparemment plus simples mais au vrai plus élaborées de cette saisie. Tout déchiffreur de *L'Emploi du Temps,* par exemple, doit faire un véritable travail de reconstitution, cet effort lui étant directement suggéré et ·même imposé par l'édifice très savant où l'enferme le romancier. Le lecteur est requis, il doit *faire* le livre en lisant, faute de quoi le récit lui échappe, et toutes ses intentions. Et quelle complication *Degrés* ne représente-t-il pas, par rapport à cette sévérité déjà remarquable ! Verticale dans le temps, horizontale dans l'espace, œuvre résultant de plusieurs attentions, *Degrés* est une aventure tri-dimensionnelle à l'élaboration de laquelle le lecteur est également invité : le roman ne peut se tenir debout que par le concours de tous ces efforts la constituant : les auteurs, les lecteurs. Enfin, *Mobile* et *Réseau aérien* (2) multiplient la difficulté en agrandissant encore l'aire spatio-temporelle à appréhender : ce n'est plus une ville, ou un immeuble, ou deux villes réunies par le trajet d'un train, ce n'est plus une classe agrandie à la dimension d'une région, d'un pays même, c'est maintenant le continent américain entre ses quatre fuseaux horaires ou la planète entière qui sont saisis au vol par le regard, cependant que le temps continue de courir et qu'il faut aussi rendre compte de ce progrès. L'œuvre ne devra qu'à une structuration extrêmement rigoureuse de ne pas sombrer

_____

(2) Il faut ajouter, dans la même perspective, le récent *Description de San Marco.*

dans la confusion : thèmes récurrents, tics volontaires de langage, répétitions et renvois, ordre alphabétique et ordre thématique se recoupant et se brouillant sans défaire le visage du tout : autant de « trucs » pour organiser un complexe spatio-temporel qu'on supposait d'abord insaisissable. On voit que la construction, ici, est première. Y voir clair et faire le livre sont une seule opération.

Mais contenir, c'est aussi retenir : cet effort qui fait l'œuvre implique la volonté de ne rien laisser échapper du continuum dans lequel nous vivons. Butor cite volontiers cette phrase d'Henry James : « Le romancier est quelqu'un pour qui rien n'est perdu. » Entreprise volontaire, l'œuvre de Butor est celle de quelqu'un qui demande au lecteur, avec lui, de ne rien laisser au hasard et qui, dans son essai de totalisation, tente de s'opposer à toutes les fuites par une structuration de plus en plus forte. Cette esthétique suppose une morale bien claire : pas de profil perdu, pas de morceau de bravoure, rien n'est donné pour l'effet, rien ne vaut pour soi seul. Il faut que le monde parle et qu'il parle ensemble. Tout élément — et cela de mieux en mieux — prend dans le tout la place qui lui convient et qui convient au tout. Cette constatation ne semblera pas mystérieuse si l'on sait que Butor, aussi bien dans ses romans que dans les commentaires qui les accompagnent ou leur font écho dans son œuvre critique, ne cesse de mettre l'accent sur le rôle de sauvetage qui est celui de l'écriture : il s'agit de faire attention, c'est-à-dire, pour lui et ses personnages, d'éviter la submersion. Pour ne pas être engloutis par cette vie qui passe et facilement nous entraînerait, captifs, il faut lutter contre la passivité originelle... Le narrateur de *Degrés* sent cela d'une façon très forte et nous dit que l'œuvre d'attention qu'il élabore est riche de conscience, « apportant un peu de lumière au milieu de cette confusion où nous nous débattons, un peu de lumière qui se

projette sur cet instant, qui le rend visible, observable, qui
se réfléchit sur cet instant pour venir éclaircir un peu
l'obscur présent » (3). Cette attention nous sauve de la
mort par inconscience. C'est ici qu'on peut le mieux saisir,
dans la démarche de Butor, ce qui le situe par rapport aux
autres écrivains de son temps, d'un Claude Simon par
exemple. Ses personnages demandent à assumer cette existence qui fait mine de les engloutir, ils cherchent à prendre
possession de cet Espace-Temps qui les menace d'impuissance. En pleine confusion, non seulement ils se prennent
en charge mais ils cherchent à com-prendre le monde par
une attention de tous les instants, ils tentent de sauver ce
qui peut l'être dans le flux accéléré de l'En-dehors. Le livre,
dès lors, répond parfaitement au devoir que lui assigne le
romancier dans une phrase qui résume tout son effort :
« Il est ainsi un prodigieux moyen de se tenir debout, de
continuer à vivre intelligemment à l'intérieur d'un monde
quasi-furieux qui vous assaille de toutes parts » (4).

Ce danger de submersion contre lequel lutte le personnage, il revêt deux formes principales : l'envoûtement par
le lieu, la dispersion du monde.

Le caractère dramatique de la passivité dont nous souf-
frons dans certains lieux constitue le point de départ de
deux romans : *L'Emploi du Temps* et *La Modification,*
comme le sujet, ou presque, d'un livre de critique descrip-
tive : *Le Génie du Lieu.* Il s'agit de rendre compte de
la magie exercée sur nous par un certain espace, magie
faite de dépaysement, de coïncidences, de hasards objectifs,
de « charmes », par l'action desquels il est facile de s'endormir ou de s'affoler. On ne s'étonnera pas de trouver

(3) *Degrés,* page 117.
(4) « Intervention à Royaumont », in *Répertoire I,* page 271.

dans ces deux livres des références très précises à des mythes (5), qui nous sont présentés à la fois comme la vraie
dimension de ce charme et le moyen d'en sortir : en lisant
bien ce labyrinthe, c'est-à-dire en le prenant au sérieux
d'abord, il sera sans doute possible d'en venir à bout. Temps
dévorateur, espace envoûtant, telles sont les circonstances
où, se débattant, le personnage de Butor tente de se situer.

Bien que le Temps et l'Espace y soient associés, puisqu'ils sont à la fois catégories de la présence au monde et
tout naturellement le vrai terrain du combat, c'est dans un
éclairage un peu différent que se développe l'autre « série »,
de *Passage de Milan* à *Description de San Marco*. Ce n'est
plus l'histoire d'un envoûtement et, contre lui, celle de la
résistance ou de l'effritement d'une conscience. Le donné
initial n'est plus la fatalité, ou non, d'un pouvoir « magique », mais la dispersion dans l'espace de l'activité des
hommes. Qu'il s'agisse d'un groupe d'élèves et de leurs
familles, d'une poussière de villes parsemant un immense
continent, d'avions long-courriers sillonnant le globe tout
entier, le ou les narrateurs, contre cette diaspora, essaient
de refaire l'unité : ils visent à embrasser cet Espace et ce
Temps éclatés, ils veulent les faire tenir dans le livre par
l'effort d'une ou plusieurs attentions et le concours actif
du lecteur. Cet effort, on s'en rend compte, peut s'accompagner d'un certain désespoir, mais la tension de l'esprit,
même quand il y a échec, demeure comme exemple et
comporte une espèce de morale positive. Ainsi, dans *Passage de Milan*, en est-il du regard et de l'attention se me-
surant à l'immeuble ruche où il faut faire revivre pour
nous, simultanément, plusieurs familles. Ainsi dans *Degrés*
où, pour nous faire toucher dans son épaisseur une tranche

(5) De Thésée et de Caïn, dans l'un ; de Rome et du Grand Veneur,
dans l'autre.

de temps dans un espace donné : une heure de classe, les
trois narrateurs successifs s'efforcent à grand-peine de retenir
dans un récit proliférant le temps et l'espace s'enroulant
autour de cet instant privilégié. C'est une telle gageure,
c'est une tentative si désespérée qu'elle finit par tuer le
principal narrateur et traumatiser fortement un des « témoins » de l'enquête. Dans *Mobile,* c'est à la dimension
d'un monde que l'attention doit se tendre : le continent
américain. En l'espace de trois jours et deux nuits, il faut
faire palpiter dans le filet des mots tout ce qu'un voyageur
peut saisir d'une réalité multiple et infiniment dispersée.
La même performance est à l'origine de *Réseau aérien,* où
c'est l'accélération des moyens de transport qui tente de
venir à bout de la figure muette et confuse du globe ter-
restre tout entier. A cet égard, la dernière œuvre, elle
aussi de description critique, n'offre aucune solution de
continuité avec les deux précédentes ni avec le plus loin-
tain *Degrés :* car le rapport est le même entre le promeneur
et l'édifice qu'il faut faire parler dans sa totalité présente,
d'une part, d'autre part le voyageur et le continent qu'il
sillonne pour le forcer, dans son ensemble, à l'expression.

Il faut récupérer le temps, réunir l'espace. Le labyrinthe
ayant été désensorcelé, la diaspora vaincue, l'œuvre sera
donc la trace d'une attention et d'une structuration vigi-
lantes. C'est sans doute cela qu'elle veut nous enseigner.

Découvrir tour à tour dans le secret de leurs lieux séparés les différentes cellules familiales qui constituent l'immeuble de *Passage de Milan* et cependant rassembler ces
visions pour faire parler le tout, telle est la position du
narrateur invisible et avec lui du lecteur dans le premier
livre de Butor. Ces différentes durées, ces êtres coexistent
séparément : il faut d'abord les réunir sous le même regard,
et c'est déjà l'intention totalisatrice. Si l'on passe d'un
étage à l'autre, ce sera comme un visiteur qui monte et

réunit ; si on veut les faire vivre ensemble, ce sera en essayant, à la même heure ou presque, de révéler la simultanéité dans les occupations : lien temporel et lien spatial sont développés de telle sorte qu'ils sont sur le point de produire un portrait en relief et simultané de cet espace-temps privilégié. Mais, de par le moyen choisi : une conscience, pour embrasser une simultanéité, qui ne prend pas part à l'histoire, l'artificiel devait s'introduire, ou du moins la facilité. De plus, dans la tension du discours qui s'aiguise et s'accélère, dans le « bouquet » final qui groupe assez maladroitement dans une seule pièce la plupart des protagonistes jusque-là dispersés dans la maison, on ne peut s'empêcher de voir quelque chose d'imposé au réel, et le livre s'en ressent au point de laisser apparaître par endroits la raideur naïve d'une démonstration. Comme la séparation était radicale : « ... Ainsi, perpétuellement, ce soir, dans les cuisines superposées, sonnent les timbres et leurs notes se suivent comme s'ils faisaient partie d'un même instrument, mais nul de la maison ne peut entendre l'air dans son entier... », et comme, pour nous faire entendre cet air, le choix de ce personnage invisible et *off* qui facilite trop vite la synthèse nous semble providentiel ! Son innocence et sa toute-puissance nous empêchent d'y croire. Pourtant, on peut relever dès cet essai quelques directions capitales. Il s'agit bien, déjà, de conférer un surplus de conscience à cette vie qui s'ignore : bientôt, Butor saura nous éclairer là-dessus davantage qu'en vivant sur la technique d'une espèce de Dos Passos surréaliste. Il saura rendre très proche la tentative de nous rendre maître d'un monde dont la nature est peut-être de nous échapper (6). *Passage*

---

(6) Notons à cet égard l'importance de la société secrète qui se réunit dans ce même immeuble. Elle est le signe de cette équivalence : monde romanesque = monde secret à dévoiler, sur laquelle Butor insiste, par exemple, à propos de Balzac.

de Milan témoigne aussi d'un caractère permanent de la recherche, Degrés excepté : la poésie. Le romancier s'est d'ailleurs bien souvent expliqué là-dessus, notamment en spécifiant que le roman, pour lui, était l'occasion d'une saisie totale du réel : idées et sortilèges, faits et imaginations (7). Or le langage de ce premier roman porte la marque de cette préoccupation : cela ne va pas sans quelques naïvetés, et puis, au détour d'une page, s'imposent des images, un rythme qui manifestent une volonté d'approche *globale* de l'En-dehors.

Gagner sur le sommeil de la conscience en proie à la facilité du quotidien et, provoqué par le mystère envoûtant d'une ville, Bleston, répondre par une attention désespérée qui dit le violent désir de survivre, telle est l'ambition qui occupe Jacques Revel, dans *L'Emploi du Temps*. Et comme celui qui, pour défendre l'aire de civilisation qu'il s'est acquise en pleine forêt, doit étendre et approfondir toujours davantage son travail de défrichage pour s'assurer contre l'envahissement, donc imposer son ordre toujours plus loin, ainsi le personnage en proie à l'oubli comme à une mauvaise herbe et menacé par Bleston doit, pour se sauver, se souvenir et regarder autour de lui de plus en plus loin, de plus en plus profond. Il faut qu'il trouve un sens et impose son orientation à ce continuum confus où, présentement, il risque de se perdre. C'est dire que tout, dans ce travail et dans le livre qui en résulte, est localisation et repérage minutieux.

En particulier, il fallait donner au présent les assises qui le défendissent contre l'envahissante nuit de la ville étrangère. Pour ce faire, à mesure qu'il se déroulait, il fallait aller chercher le passé qui le légitimât, et, par cet effort même, l'éclairât. Le passé interprète le présent et lui donne,

<hr>

(7) Cf. *Répertoire* I et II.

sauvé qu'il est par la mémoire vigilante, sa vraie valeur. Mais, par un mouvement inverse, le présent neuf à son tour révèle le passé qui le nourrissait et, dès lors, le justifie : c'est alors que les mystères cèdent. La clarté est née de l'échange entre les deux catégories, l'une sans l'autre obscures. D'autre part, comme le présent s'accumule toujours sur lui-même, faisant apparaître comme passé explorable ce qui, il n'y a guère, était encore présent explorant, on s'aperçoit que la perspective verticale peut se prolonger à l'infini, et les échanges se multiplier jusqu'au vertige. On pourrait même rêver, continuant l'œuvre de Butor, d'une réflexion qui en la sauvant et en la multipliant, accompagnerait une vie entière : structuration salvatrice dont le romancier justifie l'usage à propos de son récit : « Il est divisé en cinq parties. La progression de ces parties est toute simple : une complexité croissante des références au temps : plusieurs personnes vont intervenir.

» Première partie : ce qui s'est passé pendant un mois est raconté sept mois plus tard par le narrateur.

» Seconde partie : ce récit est perpétuellement interrompu par des références au présent, à ce qui se passe pendant que le narrateur écrit. Deux « mois » se superposent.

» Dans la troisième partie, un troisième mois intervient, et ses apparitions vont être racontées en commençant par la dernière ; on remonte ainsi vers le passé.

» Dans la quatrième partie, il y a quatre mois qui se superposent, et cinq ans la dernière. C'est une progression, en somme, pédagogique ». (8). Dans cette verticalité de la durée qui va se creusant pour notre « édification », c'est bien d'un enseignement qu'il s'agit en effet : de cette patiente expérience, l'esprit du narrateur sort clair et survi-

---

(8) Interview donnée à Madeleine Chapsal, citée in *Les Ecrivains en Personne,* du même auteur, page 64.

vant. Comme si, avec *Passage de Milan*, Butor avait visé
trop haut, il est donc revenu avec *L'Emploi du Temps* à
une ambition plus simple et plus claire, servie par une
structuration toute appliquée à guérir d'abord le moi de la
cécité intérieure qui l'empêchait d'embrasser le réel. Voilà
qui en appelle, chez le lecteur, à la réflexion ; tout est bien
dans cette pénible mais victorieuse application de la conscience à retenir, à organiser ce qui la menaçait. En même
temps le livre s'inscrit dans une perspective nouvelle, assez
inattendue : pour gagner, il faut perdre. Car, pour Revel,
les retrouvailles du moi ne vont pas sans un échec sur
le plan de la « réussite », échec amoureux, si l'on veut
échec social. Le mérite de l'attention gagnante n'en est que
plus évident. De cette expérience, en tout cas, il est important de retenir que, le livre en élaboration sauvant le personnage en perdition, construire et se construire sont une
seule et même chose : le sauvetage est dans le « sens
donné », c'est-à-dire dans cette écriture rédemptrice qu'on
nous laisse entre les mains sous forme de livre.

Le désordre et la nuit, on le sait, menacent particulièrement le personnage central de *La Modification*, ce « Vous »
qui, par une très profonde ambiguïté, confond le « héros »
de l'aventure, lequel, comme dans *L'Emploi du Temps*,
écrit le livre né de ces faits, et le lecteur qui, tenant le
compte rendu en main, est invité à prendre part au discours,
attentif lui aussi. Précisément, c'est sans aucun doute cette
volonté pédagogique d'attention qui a suscité la trouvaille de
ce pronom personnel équivoque, qui, détachant légèrement
le protagoniste de son Espace-Temps, nous y implique à
égalité avec lui. Ce personnel-indéfini, disent les grammai-
riens, renvoie à une individualité indéterminée dont le locuteur est exclu : nous avons donc affaire à une catégorie vide,
mais active cependant, où chacun est appelé à entrer. Le

personnage étant en creux, nous prenons sa place. La question de la survie ou de la disparition, c'est donc à nous qu'elle se pose autant qu'à Léon Delmont qui avoue d'ailleurs à la fin, prenant la parole en son nom : « Je ne puis espérer me sauver seul... » Par un parti pris plus « pédagogique » encore que dans *L'Emploi du Temps*, le lecteur se trouve donc sommé de faire avec le personnage le chemin difficile qui le mène vers la lumière. Plus encore que dans *L'Emploi du Temps*, c'est lui qui fait le livre. On comprendra parfaitement ces mots exemplaires de Butor, qui éclairent en fait tout son travail romanesque : « L'individu romanesque ne peut jamais être entièrement déterminé, il reste ouvert, il m'est ouvert pour que je puisse me mettre à sa place ou du moins me placer par rapport à lui » (9).

Il n'est pas indifférent de revenir sur un parallèle entre les deux dernières tentatives. *L'Emploi du Temps* représentait fidèlement, tout d'abord, le labyrinthe au milieu duquel le personnage se dressait pour le combattre. Et peu à peu la lumière se faisait dans ce continuum obscur à force de faire passer et repasser la réflexion sur les zones les plus sombres de l'En-dehors, les plus confuses de la conscience. Dans ce travail, le retour de plus en plus familier de certains thèmes jouait tout naturellement un grand rôle : c'étaient des repères, des phares connus qui faisaient reculer le mystère autour d'eux. Ainsi des mythes de Thésée et de Caïn, d'abord obscurcissants, puis révélateurs. Ainsi de certains personnages, tels Horace Buck ou les sœurs Bailey que l'on était heureux, comme Revel, de retrouver. Ainsi de certains lieux dont la rencontre périodique aidait à dis-

---

(9) « Individu et groupe dans le roman », in *Cahiers de l'Association internationale des Etudes françaises*, n° 14, page 130. Cet article est repris dans *Répertoire II*.

siper les charmes de la ville : les emplacements de foire, certains cinémas, etc. En se représentant avec régularité à l'attention d'abord désemparée puis reconnaissante, ces fragments privilégiés du réel avaient une grande importance pour la constitution d'un Espace-Temps habitable. A cet égard, *La Modification* est extrêmement riche. Sans doute, les mythes y sont-ils moins éclairants que dans le livre précédent : néanmoins la reconnaissance joue un rôle lors du retour de cette étrange légende du Grand Veneur, qui vient, chaque fois que la conscience est sur le point de basculer dans l'irréel du cauchemar, situer fortement l'incertitude, la faiblesse, la culpabilité du voyageur emmêlé dans ses songes. Quant au sombre labyrinthe dans lequel il est enfermé : le train, Delmont ne cesse d'en recevoir des signes qui, peu à peu, l'informent, guident le cours de sa rêverie, enfin, malgré leur présence accablante, le mènent, à travers la nuit, jusqu'à la lumière du matin qui lui apprend qui il est. Et des deux villes qui sont les pôles de son trajet intérieur, comme de son voyage « physique », il est facile de voir qu'elles s'imposent de plus en plus comme lisibles, présentes, totales.

Mais c'est sur un autre plan encore que se situe la ressemblance la plus frappante entre les deux œuvres : le va-et-vient continuel du passé au présent. Le présent s'entasse sur lui-même, et le passé naît de lui en profondeur au fur et à mesure qu'il s'écoule. C'est avec une complexité extrême que, allant de Cécile vers Henriette et revenant de celle-ci à celle-là tandis qu'il quitte Paris pour Rome, le voyageur parcourt en pensée le temps et les distances qui séparent les rencontres essentielles, s'enfonçant toujours plus loin dans le labyrinthe intérieur, pendant que se déroule horizontalement et dans l'espace le long dédale du présent. Rien de linéaire, certes, dans cette investigation, dans ce que le romancier appelle volontiers une « exploration » :

on revient au présent puiser lumière, ou ombre, on en repart sur une association, un bruit, une odeur, un visage... Comme dans *L'Emploi du Temps,* d'une façon moins visible peut-être mais encore plus subtile, il s'agit donc ici d'une complexité croissante qui fait apparaître comme très vivante parce que problématique l'œuvre de structuration à laquelle se livre la conscience. Butor a d'ailleurs dit, touchant le travail supplémentaire de clarification-complication qu'il s'est imposé : « Pour *La Modification,* je n'ai pas réussi à faire un schéma graphique. J'ai adopté un système de lettres comme une algèbre... » Si donc, sur le plan personnel, le personnage semble échouer, l' « histoire », en définitive, est moins celle d'un échec inévitable que l'aventure d'une attention encore une fois gagnante. S'il y a perte, comme dans *L'Emploi du Temps,* elle est compensée par un gain essentiel : des désirs trop sûrs, des décisions irresponsables, de l'illusion facile, il y a modification vers une lucidité un peu cruelle où se joue en pleine authenticité une conscience de soi enfin adulte. Il s'agit en quelque sorte d'une purification intérieure. L'œuvre s'impose comme exemple justement parce que, dans cette aventure où il se sauve, le personnage nous sauve avec lui. Et s'il continue à vivre dans la médiocrité, la démythification qu'il s'applique comme traitement nous concerne et en concerne d'autres ; car, dit Butor, « il va mettre sa vie entière au service d'une transformation de la réalité que lui-même ne verra pas ; mais il peut en profiter — par l'intermédiaire de sa certitude que ce qu'il fait va dans un certain sens » (10).

La complexité de *La Modification* n'est rien eu égard à celle de *Degrés,* livre qui marque un changement radical de perspective, sans que d'ailleurs soit abandonné aucun

---

(10) *Les Ecrivains en personne, op. cité,* page 60.

des impératifs sur lesquels reposaient les premières entreprises. Ce ne sont plus des fantômes — les siens — que le protagoniste cherche à exorciser ; ce n'est pas son propre labyrinthe qu'il veut dénouer. On peut considérer que *L'Emploi du Temps* et *La Modification* étaient un purgatoire d'où l'individu sort net de toute ombre intérieure et prêt, parce que clair, à s'affronter au monde. Maintenant, il va falloir s'attaquer aux fantômes qui empêchent d'accéder à autrui et, retrouvant les préoccupations de *Passage de Milan,* de tenir la promesse que ce livre contenait. « Que de fantômes entre nous et les autres... ! » s'écrie récemment l'auteur de *Degrés* (11) : c'est à leur dispersion que le livre s'attache. C'est que le romancier a découvert, ou plutôt se sent désormais mieux armé pour nous faire voir avec lui cette vérité : l'individu, si important soit-il, renvoie au groupe ; il ne peut être dit totalement qu'avec le clan ou les clans dont il est le résultat. L'année même où il publiait *L'Emploi du Temps* Butor s'intéressait, un article en témoigne (12), aux relations de parenté dans un roman de Faulkner, *L'Ours,* et il a dit lui-même à propos de *Degrés,* profondément : « De même qu'on commence à faire de la géométrie en parlant de points et en disant que les lignes sont faites de points, et qu'on est bientôt obligé de renverser les choses et de définir un point par la rencontre de deux lignes, de même la pensée romanesque commence par concevoir les groupes comme des individus jusqu'au jour où il lui faut reconnaître qu'elle ne peut définir proprement un individu que comme la rencontre de plusieurs groupes » (13). Il va donc être urgent, ici, de retenir beau-

(11) *Les Lettres françaises,* n° 1008, 1963. Repris dans *Répertoire II.*
(12) *Répertoire I, op. cité.*
(13) *Cahiers de l'Association des Etudes...,* op. cité, page 128.

coup plus qu'un destin individuel : davantage de structuration. Et si, à cet égard, les deux derniers ouvrages pou-
vaient se lire en tant que récits achevés, enfin se limiter,
si l'on veut, à l'anecdote, *Degrés* s'impose comme un essai,
la gageure de faire un livre. On nous montrait jusque-là
l'aventure d'une conscience attentive à ne pas sombrer :
ici, s'agissant de restituer tri-dimensionnellement cette heure
de classe d'un mardi d'octobre, lourde d'existences et se
« nourrissant » d'une multitude d'interférences, ce qu'il
faut mener à bien, c'est-à-dire jusqu'au livre tenant debout,
c'est l'enquête portant sur plusieurs emplois du temps qu'il
faut ramener de loin et faire exister ensemble pour aboutir
à cet instant particulier. Situation concentrique. Autrement
dit : situation désespérée, car vouloir refermer le cercle
parfait sur cet instant, c'est vouloir faire se rejoindre l'Orient
et l'Occident. Symboliquement, signifiant à la fois ce désir
de totalité et son caractère impossible, c'est un professeur
d'histoire et de géographie qui assume la tentative, et celle-ci
prend naissance en marge d'une leçon sur la folle entreprise de découvrir l'Amérique. Que de ressources mises en
œuvre pour faire tenir cet œuf de Colomb, pour servir cette
intention faustienne !

Les relations de parenté, dont, nous l'avons vu, Butor a
découvert l'usage dans Faulkner, et même dans Balzac si
l'on considère *La Comédie humaine* comme une seule œuvre,
ces relations forment dans le donné multiple et confus des
repères qui organisent un peu la poussière des points de
vue individuels. Voilà qui joue le rôle condensateur non
seulement du retour des personnages et de leurs liens chez
Balzac, mais chez tous les écrivains du dix-neuvième et du
vingtième siècles sensibles au charme de la série, et à sa
nécessité, pour traduire la complexité du réel. Ici, la profonde originalité de Butor est de faire tenir en un seul
roman, de centrer autour d'un seul événement ce que

d'autres étalent en plusieurs livres et dispersent le long d'une vie, d'une période historique données. Qu'est-ce qu'un groupe, dans un tel contexte ? C'est un îlot-repère, qui renvoie aussitôt à un îlot voisin : l'Espace-Temps commun se trouve ainsi condensé en séries familières. En outre, les personnages groupés par séries le sont par un autre ordre encore : une expérience commune, ou du moins voisine, de sorte que le lien parental s'enrichit et se recoupe avec le lien d'une commune activité. Soit un événement vécu à la même époque, mais suivant des modalités diverses, par deux ou trois groupes différents : 1°) sauter de l'un à l'autre groupe pour, dans le temps, cerner au plus près cet événement et le faire jaillir en relief par le concours de tous les témoignages ; 2°) sachant que le seul point de vue d'un narrateur ne peut suffire à embrasser la totalité, faire intervenir trois perspectives qui, se relayant dans le temps et se recoupant dans l'espace, lient entre eux les événements, bouchent les « trous » de la narration, enfin composent par leur concurrence le visage définitif de cet instant : tel est l'ouvrage prométhéen que s'est donné le romancier. Ou plutôt, qu'il nous donne à faire avec lui. Car le récit, ainsi couché sur l'espace sans profondeur du livre, n'est en quelque sorte qu'un bas-relief. Au lecteur, avec tous les moyens que lui laisse le romancier, de le faire se tenir debout en le détachant tout à fait du fond, à nous d'en faire le tour (14). C'est en lisant, c'est-à-dire en confrontant et en superposant les points de vue qui nous sont

---

(14) « Gare Saint-Lazare, lève-toi et marche ! » : c'est ainsi que s'intitule une nouvelle passée à peu près inaperçue, publiée en mars 1961 (*Réalités,* n° 182). S'aidant d'une technique qui préfigure *Mobile,* Butor tente par le pouvoir des mots de faire se dresser devant nous l'active, complexe, multiple existence simultanée d'un « lieu » particulièrement riche. Mais il faut lire, relire, aider à l'érection de ce monde étendu sur la page.

offerts que nous faisons naître l'impression d'épaisseur,
comme le stéréoscope fait apparaître une seule image en
relief en superposant deux images planes.

Ainsi, il n'aura jamais été plus évident que lire, c'est
construire. C'est le mérite de Butor de nous le faire éprouver
par l'intermédiaire de ce livre « raté » qui, plus que tout
autre, illustre le principe découvert avec *L'Emploi du
Temps* : Qui perd gagne (15). *Degrés,* s'il marque un
ratage, c'est le nôtre. Et il ne faut pas voir dans la disparition du principal narrateur, dans sa mort peut-être, autre
chose que l'effacement inévitable d'une conscience attentive
devant son œuvre d'organisation, qui nécessairement la dépasse, et de toute manière doit rester seule en exemple
parce qu'elle seule importe. « Ces notes que je te destine »,
dit le narrateur-enquêteur s'adressant par la pensée à son
neveu pour qui il écrit, « que je destine à celui que tu
seras devenu dans quelques années, qui aura oublié tout
cela, mais à qui tout cela, et mille autres choses, reviendra
en mémoire par cette lecture, dans un ordre nouveau et
selon certaines formes et organisations qui te permettront
de le saisir et de le fixer, de le situer et apprécier, ce dont
pour l'instant tu es incapable, manquant de ce système
de référence que l'on cherche à te faire acquérir,

» de telle sorte qu'en toi pourra naître une nouvelle
conscience, et que tu deviendras apte à ressaisir justement
cette énorme masse d'informations qui circule, à l'intérieur
de laquelle, comme dans un fleuve boueux et tourbillon-
nant, tu te meus ignorant, emporté,

» qui glisse sur toi, qui se gâche, se perd, et se contre-
dit,

---

(15) Rappelons que Michel Leiris, à qui l'on est redevable de cette
expression appliquée à l'auteur de *Degrés,* s'en est servi pour analyser
magistralement ce rapport dans *La Modification.*

» qui glisse sur nous tous, sur tous tes camarades et tous tes maîtres qui s'ignorent mutuellement,

» qui glisse entre nous et autour de nous » (16). Le témoin effacé, la leçon demeure.

Tel est l'aboutissement du travail en germe depuis *Passage de Milan*. Et après le défrichage des deux grandes œuvres qui le précèdent, *Degrés* fonde véritablement la méthode butorienne de dévoilement de l'En-dehors : l'Apprentissage de la lecture.

Mobile, on l'a remarqué, instaure apparemment dans le récit le règne de l'arbitraire. L'intention est claire, pourtant, mieux définie au départ que celle du romancier dans *Degrés* : il s'agit d'une « Etude pour une représentation des Etats-Unis ». Mais le problème à résoudre n'était pas simple, encore que l'entreprise se limitât au Visible, au Phénomène, sans risquer les reconstitutions qui faisaient la principale difficulté de l'ouvrage précédent : le continent américain est une totalité spatio-temporelle gigantesque, trop grande pour se laisser contenir dans le cadre du livre et s'en échapper à notre appel.

Dans ces conditions, quels sont les moyens dont l'écrivain s'est entouré ? Pour les Etats, il a choisi l'ordre alphabétique ; pour les villes, l'ordre homonymique : autant de facilités, reposant sur l'arbitraire le plus simple, puisqu'il s'agit de grilles absolument rigides. Procédés qui, à première vue, semblent devoir trahir la hauteur de l'intention. Pour le lecteur paresseux et pressé, le « grossier » a priori de cette architectonique paraîtra insupportable : le livre lui tombera des mains et si, comme ont dû malgré tout le faire certains lecteurs professionnels, il a à en rendre compte, il ressortira en son honneur les rares épithètes de :

---

(16) *Degrés,* page 82.

incompréhensible, encore à faire, aphasique, consternant.
Roland Barthes a bien noté la force de scandale contenue
dans un livre qui vous *oblige,* vraiment, contre les idées
reçues, à *lire* (17).

L'intense activité structurante qui se donne libre jeu
dans *Mobile* nous invite pourtant copieusement au même
genre de travail qu'imposait *Degrés :* à recouper, à recouvrir
telle image de sa voisine proche ou lointaine, et, nous
promenant ainsi librement à travers le livre, à composer le
total portrait du complexe envisagé : une ville, une région,
le pays, le continent (18). En outre, qu'en est-il au juste
de cet arbitraire, de cette facilité d'abord dénoncés dans
la construction ? Notons à ce propos que l'ordre alphabétique et la relation homonymique, en se complétant, forment
une espèce de quadrillage mobile sous lequel le portrait
se compose et bouge librement. A la rigidité alphabétique
s'oppose en effet, en la brisant, le recours à l'homonymie :
par exemple, dans le cadre de l'Etat d'Indiana, l'attention
est attirée sur deux Washington : celui d'Indiana, celui
d'Iowa ; puis, de là nous sautons au Washington dans le
Kansas, et ainsi par contamination, une ville nous entraîne
aussitôt hors de l'Etat où nous la découvrions d'abord. Sans
cesse, par ce système de renvois et d'échos, le cadre de
l'Etat éclate au profit du cadre étoilé du pays tout entier.
Une autre preuve spectaculaire : telle ville de l'Ohio nous
est mieux connue — par le biais de l'écho homonymique —
dans l'espace paginal consacré à la Californie, et ainsi de

---

(17) « Littérature et Discontinu », in *Critique,* n° 185.
(18) Si l'on devait, dans cet ordre d'idées, faire un reproche à Butor,
ce serait plutôt de n'avoir pas assez multiplié les grilles et leur usage.
Par exemple, il a négligé les aspects *attendus* d'une Représentation des
Etats-Unis, tels le jeu vertical de l'architecture, le rapport-antagonisme
Est-Ouest, etc., qui, faisant partie de la mythologie et de la vie améri-
caines, se devaient de trouver place ici.

suite. De par la disposition géographique, il peut se faire, d'ailleurs, que la proximité d'un État à l'autre, créant le visage d'une région, vienne confirmer et enrichir la relation alphabétique. Quant à la raison de la série homonymique, elle peut elle-même se voir contestée, donc assouplie et enrichie, par les nuances horaires capitales du type : « Quand il est sept heures du matin à Genoa » (Nebraska)... « nuit noire encore à Genoa, temps du Pacifique » (19). Tous ces éléments de grille se détruisent en se superposant : ils se complètent par là même, et leur effet a priori limitatif n'est plus qu'un cadre souple inventé au profit d'une connaissance, d'une appréhension extensibles à l'infini. Mais surtout : ces catégories sont reliées entre elles par un ordre horizontal extrêmement riche, constitué par la récurrence de thèmes qui, bien plus encore que dans *L'Emploi du Temps* ou *La Modification,* sont là pour lier ce qui est séparé, circuler au travers comme une eau. C'est la raison d'être des « motifs » suivants : la mer, les oiseaux, les voitures, les réclames, les portraits d'oiseaux par Audubon, le rêve que fait un couple, une nuit, la présence lancinante de l'autre race : les Noirs. Tout cela force si l'on veut la trame du récit, dont la chaîne serait faite des allées et venues d'une ville à l'autre. Le visage prend alors forme peu à peu d'un pays où tous ces éléments jouent ensemble. Il faut ajouter à cela les citations de textes « à l'appui » que sont les paroles de Franklin, de Jefferson, le procès d'une sorcière de Salem, le rapport sur le massacre des Indiens, sur les Indiens et le peyotl, sur l'installation des colons, sur les mormons, etc.

Tous ces fils s'entrecroisant dans l'espace du livre — pourvu que le lecteur, davantage encore que dans les

---

(19) *Mobile,* pages 166-167.

romans précédents, ait à la fois la volonté de se souvenir et celle de co-édifier —, il naît d'une lecture attentive l'impression de totalité simultanée. Et, par ce constant recours à une dimension qui fasse éclater et dépasse la précédente — de l'ordre thématique à l'ordre dans l'espace, de l'ordre dans l'espace à l'ordre horaire, de l'ordre horaire à l'ordre alphabétique, de l'ordre alphabétique à l'ordre homonymique —, jamais une portion du territoire américain n'est sentie comme une île. Si tout est contenu, rien n'est isolé. La poussière des renseignements dispersés est non seulement retenue par un jeu de grilles mobiles mais encore vivifiée par l'eau souple et unie des thèmes qui portent un reflet d'autre part et continuent plus loin. Le tout est présent dans la partie, la partie renvoie au tout. Une page renvoie au livre et le contient tout entier en devenir, va vers lui-se-constituant, comme la ville s'étend par contamination vers le territoire *in progress,* s'élaborant sous nos yeux et par nos soins.

Est-ce à dire que ce poème très savant emporte totalement la conviction ? Plaçons l'œuvre à côté de *Degrés,* qui lui aussi, nous l'avons vu, pouvait passer pour une « Etude ». Mettons d'autre part à côté d'elle cette déclaration de Butor lui-même qui, rappelons-le, a revendiqué pour son œuvre, notamment depuis *Degrés,* le privilège de la continuité (20) : « Il est indispensable que le récit saisisse l'ensemble de la société non point de l'extérieur comme une foule que l'on considère avec le regard d'un individu isolé, mais de l'intérieur comme quelque chose à quoi l'on appartient et dont les individus, si originaux, si éminents qu'ils soient, ne sauraient jamais se détacher complètement » (21).

(20) *Lettres françaises,* n° 1008.
(21) In *Cahiers de l'Association..., op. cité,* page 127.

Il apparaît alors que *Mobile,* dont on saisit par ailleurs fort
bien l'ambition : embrasser l'espace, utilise pour ce faire
une technique en contradiction avec cet énoncé. En se
limitant à montrer ce qui apparaît, sans jamais, comme dans
Degrés, nous indiquer l'*effort* pour faire apparaître, l'attention structurante s'est placée hors ou du moins au-dessus
de l'édifice. On chercherait en vain, ici, l'individu exemplaire
de *Degrés* qui, mêlé au continuum, lui faisait malgré tout
« rendre gorge » et le forçait à la parole : le continent
américain nous parle tout seul ; et si nous avons, dans
une certaine mesure, à nous substituer à ce découvreur
absent, il n'en demeure pas moins que notre travail est
résolument abstrait. En s'élevant plus haut, en embrassant
davantage, l'entreprise a diminué d'autant sa qualité peu
ordinaire de participation. Non de cette participation constituante : c'est bien la lecture, notre lecture, qui fait
l'œuvre ; mais de cette participation « souffrante » qui
était notre façon d'accompagner l'effort de Pierre Vernier.
Le livre pâtit sans doute d'être devenu, trop bien, objet.
Bel objet, certes, car la page blanche y est utilisée avec
un art profond du silence et de l'image, mais objet tout
de même, parce que l'élément problématique humain en est
absent. On ne cherche pas le monde, il nous est donné.
Désorienté par la suppression de sa qualité de quête, ce
don de l'En-dehors, malgré notre activité constituante, est
comme privé d'âme. En tout cas, de chaleur. Ce qui ne
l'empêche pas, d'ailleurs, de s'imposer avec force, avec éclat.

Les dix long-courriers qui sillonnent l'espace de *Réseau
aérien* manifestent un sens clair : nous entraîner à leur
suite, nous faire participer à l'entreprise d'embrasser sous
le regard et l'attention non plus seulement un continent,
mais la dimension la plus totale de notre Espace-Temps :
la terre entière. On verra naturellement un rapport entre
cette nouvelle ambition et le moyen qui la sert : l'avion,

vecteur accéléré d'une révélation totalisante. Plus qu'une
œuvre achevée — le contre-sens a été fait et la cécité de
la critique s'est ici, si l'on ose dire, révélée — il faut
voir dans *Réseau aérien* la forte indication, l'esquisse ambi-
tieuse d'un couronnement de l'œuvre entière. S'il y a inachè-
vement, « échec », sur le plan de « consommation » du
livre, il est plus que jamais révélateur de cet élan faus-
tien (22) qui apparaissait déjà dans *Mobile* et qui est ici
poussé à son terme. L'œuvre reste exemplaire par l'intention qui l'a suscitée. Il est d'ailleurs remarquable qu'elle
rétablit, dans la limite de ses moyens, la perspective humaine que *Mobile* avait abandonnée : c'est en effet par le
biais des conversations (cf. « Gare Saint-Lazare, lève-toi et
marche ! »), puisqu'il s'agit d'un ouvrage destiné à la diffu-
sion radiophonique, que le monde nous est découvert, qu'il
tend à exister ensemble, que le visage de la terre, avec
notre aide, se compose encore confusément.

Pour donner la parole à San Marco à Venise, le narra-
teur-promeneur de *Description de San Marco* nous entraîne
lui aussi à sa suite dans l'édifice, nous efface avec lui devant
la pierre et la peinture. A force de respect, de vigilante
attention, d'interrogation totalisante, l'Objet finit par livrer
son sens, donner sa présence. Il est facile de voir, nous
l'avons dit, une similitude entre ce promeneur hyper-lucide
sous l'œil duquel le réel se compose, et le voyageur abstrait
de *Mobile,* les voyageurs de *Réseau aérien.* Mais, ici, nous
sommes au centre du travail : il y a effort pour organiser,

---

(22) Il faudrait parler à part et en détail de *Votre Faust,* première
œuvre « théâtrale » de Butor (en collaboration avec Henri Pousseur).
Cela pour deux raisons : 1°) Le thème de Faust rejoint l'ambition
totalisante du romancier. 2°) La forme choisie est telle — « fantaisie
variable », dit Butor — que le public infléchit l'évolution du drame :
y participe, crée, par conséquent. Le théâtre fait véritablement vivre
ce que le roman ne fait qu'indiquer : lire, c'est réaliser, se faire, édifier.

et cet effort est senti comme tel. La foule est entendue autour de l'homme hésitant qui regarde, lui-même est en creux, comme l'individu de *La Modification,* pour nous permettre, au milieu de cette foule, à notre tour de composer, mieux, de laisser parler.

L'existence attentive aboutit donc au livre. Il est remarquable que, dès *L'Emploi du Temps,* le personnage se sauve par cette expérience de l'Ecriture. Jacques Revel échappe à Bleston et à ses sortilèges, c'est-à-dire apprend à les dominer en se situant par rapport au monde, par rapport à soi-même : en écrivant. Il nous confie plusieurs fois, en élaborant son livre, que s'il réussit à « s'en tirer », à y voir clair, c'est par le moyen des lignes qu'il nous laisse, à la fin, en guise de leçon.

Le personnage incertain qui est le lieu de *La Modification,* lui aussi s'achève, s'affermit, prend totalement conscience de lui-même par ce livre que nous lisons, où nous apprenons, à notre tour, à lire. Vidée de son support pour que nous l'endossions mieux, l'œuvre reste le modèle d'un chemin parcouru de l'obscurité à la lumière, du sommeil à l'attention.

La préoccupation du livre est encore — surtout — au centre de *Degrés.* Y voir clair dans cet Espace-Temps multiple et confus que Pierre Vernier se donne pour objet, c'est en faire difficilement un livre. Ecrire, c'est par conséquent élucider et construire. Quant à nous, si dans les premières œuvres nous étions peu intéressés au travail de l'écriture bien que concernés par ses résultats, avec *La Modification* et *Degrés,* et les œuvres suivantes aussi bien, nous y participons, c'est à nous non seulement d'aider le livre, donc le monde à se dresser devant nous, mais c'est nous qui vivons cette aventure, puisque c'est nous qui, dans une certaine mesure, écrivons. Sans nous, un objet comme *Mobile* reste lettre morte. Dans les premiers livres, le personnage s'écrit et c'est en s'écrivant qu'il parvient à l'existence consciente. A partir de *Mobile,* c'est le monde qui s'écrit et qui tente, plus ou moins heureusement, de se donner à nous sans plus aucune médiation. Or, dans la mesure où c'était nous, qui, dans les premières œuvres, aidions le personnage à s'accoucher et, dans les suivantes, l'En-dehors à se parler, nous créons au même titre que le romancier, comme lui nous portons la lumière : il est impossible que cette lumière ne soit en définitive la nôtre et que, en faisant naître, nous, des personnages éveillés, en faisant que le monde nous parle, nous ne fassions pas notre propre révélation. C'est nous que nous écrivons. Un lecteur attentif est le sujet et l'objet de son épiphanie. Celle du monde passe par lui.

On ne s'étonnera pas de rencontrer ici la recherche originale et problématique jusqu'au bout d'un des écrivains les plus importants de ce temps : Michel Leiris. Ce n'est sans doute pas un hasard si Leiris a consacré à *La Modification* un article enthousiaste et profond, après que Michel Butor de son côté eut éclairé la démarche de l'auteur de *Fourbis* en la qualifiant magistralement d' « autobiographie dialectique ». C'est dans ce terme, appliqué à un écrivain pour qui un livre est un acte en avant, qu'il nous est donné de mieux saisir tout le pouvoir créateur du livre, que Gide comparait déjà, au cœur même de l'acte d'écrire, à la « rétroaction » de nos actes sur nous. C'est plus précisément dans ces mots de Leiris cités par Butor qu'une telle re-création par la littérature se donne immédiatement comme telle : « Il s'agissait moins là de ce qu'il est convenu d'appeler « littérature engagée » que d'une littérature dans laquelle j'essayais de m'engager tout entier. Au dedans comme au dehors : attendant qu'elle me modifiât, en m'aidant à prendre conscience, et qu'elle introduisît également un élément nouveau dans mes rapports avec autrui... » (23). Ne croirait-on pas entendre dans ces lignes la voix même de Butor, qui ne fait que préciser pour lui cette notion capitale en l'enrichissant d'une expérience, sinon plus approfondie, du moins plus étendue peut-être : « Cette prise de conscience du travail romanesque va, si j'ose dire, le dévoiler en tant que dévoilant, l'amener à produire ses raisons, développer en lui les éléments qui vont montrer comment il est relié au reste du réel, et en quoi il est éclairant pour ce dernier... (...) Cette réflexion qui se produit à l'intérieur du livre n'est que le commencement d'une réflexion publique qui va éclairer l'écrivain lui-même. Il cherche à se constituer, à donner une unité à sa vie, un sens à son existence... » Et le romancier d'ajouter que ce sens, il va naître aussi de la collaboration de la masse lisante, qui fait autant le livre que son auteur en donnant ses réponses, en enrichissant de ses solutions cette « question qu'est un roman » (24). Et, après avoir informé le romancier, le roman informe le lecteur. Lieu de rencontre et instrument de conscience, le livre est donc cet objet (25) vivant qui transforme, nourrit celui qui le touche et l'éprouve.

---

(23) « Une Autobiographie dialectique », in *Répertoire I,* page 263.
(24) « Intervention à Royaumont », *id.,* page 274.
(25) Objet dont la facture et la présentation sont susceptibles d'enrichissements considérables, donnant ainsi au livre une fonction capitale dans cette littérature ouverte dont *Mobile* n'est qu'une première approximation. Cf. l'article « Le livre comme objet », in *Répertoire II,* page 109. Ce dernier recueil critique contient d'importantes suggestions à cet égard.

III

L'HISTOIRE OU LA PAROLE

Il est facile de lire les œuvres envisagées comme le produit d'expériences limitées, de les ramener à des résultats d'entreprises défectueuses.

La démarche de Nathalie Sarraute s'éclairerait alors par le sentiment d'une séparation moi-autrui insupportable, même par la culpabilité morbide que cette séparation installe chez le moi séparé. A ce titre, l'enseignement d'authenticité qu'on prétendrait tirer de cette entreprise pourrait s'en trouver frappé de nullité.

Comme serait caduque la valeur libératrice contenue dans la vision du monde selon Robbe-Grillet, puisque ressortirait alors l'obsession du viol dont il ne peut échapper au lecteur attentif qu'elle est une des clefs des personnages.

Le « héros » simonien, pris dans cette perspective, lui, va nous apparaître bousculé par l'Histoire et tentant de se rattraper dans sa chute, cependant que les essais de Butor, si imparfaits qu'ils soient encore dans leur décision d'embrasser l'Espace-Temps des Autres, sembleront animés surtout de la volonté très optimiste de racheter par l'œcuménisme un univers qui s'écroule en miettes ou fuit dispersé.

Ainsi, le Nouveau Roman se lirait à partir d'un échec, plus précisément il serait nourri d'un tragique sentiment de déperdition. Et, certes, rien de moins trompeur que cette vue des choses : c'est bien un tel manque que l'écriture, ici, cherche à compenser. Mais, en même temps, rien de plus banal. Comme nous le faisons par ailleurs, il est permis de constater en effet que le travail des écrivains considérés s'organise contre un tel péché originel... Encore faut-il aller plus avant et cesser de confondre origine et contenu. Tout roman, comme on le voit aisément à propos de Dostoïevski et de Proust, est une tentative de récupération, refait une distance ; il n'est pas une écriture qui ne comble un vide ressenti comme intolérable. Mais l'œuvre dit autre chose que ce vide. Elle se situe justement au-delà ou au-dessus de lui. Le contenu du Nouveau Roman, c'est la parole. La parole à la recherche d'elle-même et du monde.

Déjà Proust nous parlait, alors que Balzac et Dostoïevski nous demandaient de croire au monde qu'ils nous offraient et de le prendre tel quel. Il ne fallait rien chercher d'autre dans leur œuvre qu'un univers innocent, utilisable sans doute en son temps, périmé pour le nôtre. Au contraire, le monde de Proust ne se donne pas ailleurs que dans la parole de qui le ressuscite : c'est par le pouvoir médiateur de cette parole humaine et toujours présente qu'il nous est donné de le saisir. Effort individuel ambigu : cette voix peut nous être lointaine par sa recherche maladive d'un paradis, elle nous est proche cependant, et même fraternelle, car son effort est le nôtre au milieu du monde, en un certain sens. Tout se passe comme si le Nouveau Roman avait, en éliminant l'irisation due à la quête d'innocence proustienne, éliminé résolument cet « en un certain sens », jusqu'à faire disparaître la qualité de médiation de la parole. Le monde se profère, nu, immédiatement, anonyme, en même temps que les signes s'alignent sur la page blanche. Le plus clair de l'expérience s'inscrit entre ces deux expressions radicales : celle de Robbe-Grillet, celle de Butor.

Pour Robbe-Grillet, le langage, avec lequel s'exprime de plus en plus la liberté de celui qui parle, fonde seul la réalité du récit. L'auteur de *La Jalousie* rencontre ici, et même poussé à bout, le principe d'incertitude énoncé par Heisenberg, et son corollaire selon lequel les lois de la connaissance ne valent que pour la connaissance, ne sont donc qu'une convention, et ne sauraient en aucune manière atteindre l'Objet. En termes d'écriture : la narration qui visait à nous faire croire au monde du récit en tant qu'objet constitué hors de l'effort du romancier apparaît maintenant comme dérisoire. La description n'est pas un miroir tendu au monde, elle constitue un monde. Elle n'est pas une image, puisqu'elle est une parole, et doit s'accepter comme telle. C'est donc en tant que parole, uniquement révélatrice de son propre effort, qu'elle peut nous toucher. Ne se fiant plus qu'à lui-même, si le roman est recherche, il est recherche par le moyen limité de l'expression. Là où le romancier traditionnel souhaitait faire voir le monde ou, grâce à lui, se donner une fête, le nouveau romancier cherche à se faire entendre. Au lieu de nous donner illusoirement le monde par le langage, il nous donne humblement et fièrement à la fois le monde du langage. Parlant de Claude Simon qui, à certains égards rencontre la démarche de Robbe-Grillet, Merleau-Ponty écrit : « Ces usages du langage ne se comprennent que si le langage est un être, un monde, que si c'est la Parole qui est le cercle » (1).

Dans le détail, cela est vrai ou peu s'en faut pour le romancier du *Vent*. Attiré et même menacé par l'Histoire, il parle contre cet envahissement et constitue autour de lui un monde qui résiste à l'écroulement interminable dans le temps. Cela est parfaitement sensible avec *La Route des*

---

(1) In *Médiations*, n° 4.

Flandres par exemple où la lente narration-discours finit par dresser devant nous le témoignage circulaire et fragile d'un moi que guette la submersion.

Pour le personnage de Robbe-Grillet, on le voit pris au piège un instant de la réalité labyrinthique fascinante : il s'en sauve par la parole, l'écriture créatrice. Comme ces mouettes inventées par le romancier dans *Le Voyeur* et qui lui ont paru d'un coup plus vraies que les vraies parce que suscitées par la conviction intime, ainsi les inventions de la conscience fascinée-fascinante finissent elles aussi par constituer la réalité : le monde, c'est la voix qui parle et convainc, témoignant ainsi d'une liberté qui, quelle que soit son origine, est créatrice. La liberté se dit au fur et à mesure avec le récit qui s'invente.

Pour Nathalie Sarraute et surtout pour Michel Butor, il y a bien recherche parlée et fable, mais il semble que cette recherche doive aboutir moins *dans* le langage que *par* le langage et que la fable, un jour, doive enfin le céder à la vérité qu'elle cache. Voilà donc une tentative qui se situe en-deçà du pessimisme heisenbergien et se donne à première vue comme moins révolutionnaire. Mais il faut dire que le travail d'ajustement au réel et de déchiffrement du donné sensible va étonnamment loin et que, par le détour d'une croyance opposée, il arrive à la même densité neuve, à la même révélation dans l'expresion. Quand Nathalie Sarraute parle de réalité secrète qu'il faut mettre au jour, « rendre visible », quand pour ce faire elle utilise — se plaçant à côté de lui — le personnage problématique plongé jus-qu'aux limites de sa résistance dans l'enfer de l'inauthen-tique et de l'intimité cruelle, elle adopte certes le point de vue objectif et contradictoire d'une observatrice privilégiée ; elle montre bien par là qu'elle croit en la vertu d'un lan-gage révélateur d'autre chose que de lui-même. Pourtant, ce réel dont elle nous fait part est tout intérieur, elle le prend à la naissance, et ce n'est pas par hasard qu'elle s'est donné comme ambition de rendre clair le passage de la « sous-conversation » à la « conversation ». La transformation de l'informulé en formulé, le surgissement de la conscience dans la parole sont, comme chez Robbe-Grillet, révélateurs de « l'être-au-monde », non du monde lui-même.

Au personnage d'abord en proie, lui aussi, an labyrinthe, Butor donne la parole pour le sauver des autres, ou plutôt pour l'affranchir de ses fausses croyances sur les autres. La quête de la conscience est de délivrer le monde autour d'elle, de se délivrer elle-même des illusions dont ils sont tous deux dialectiquement prisonniers. Il y a d'abord un charme à rompre. Puis, suffisamment armé pour affronter cet En-dehors qui le menaçait, lucide, attentif, l'individu se met à parcourir, à organiser l'espace autour de lui, il ose demander au monde de s'exprimer pour lui qui écoute, il veut enfin « faire parler les choses elles-mêmes, forcer les choses à la parole » (2). C'est dire que si le langage pour le romancier qui cherche le monde est pris comme moyen pour détruire la fable et opposer un récit plus « vrai » aux récits faux ou incomplets qui courent sur le monde (3), la parole est encore le lieu privilégié, le révéla-teur de cette réalité plus réelle que l'autre : plus réelle justement, parce que le monde du livre parle immédiate-ment. Cette œuvre optimiste, d'ailleurs suspecte un instant d'un angélisme un peu naïf (Cf. Mobile), présente la re-cherche problématique du personnage non seulement comme l'honneur de celui-ci, mais comme une valeur éternellement éclairante pour nous. Voilà qui nie la tragédie et affirme

---

(2) In Les Lettres françaises, n° 1008, 1963.
(3) Voir à ce propos « Le roman comme recherche » in Répertoire 1 et Les Lettres françaises, article cité.

par là même une liberté à tous les coups gagnante. Cette entreprise rejoint donc ici celle de Robbe-Grillet qui a montré, ce que confirment par une autre méthode les analyses de Lukacs et Lucien Goldmann, combien le roman traditionnel se nourrit finalement du sentiment tragique de l' « inauthenticité » du monde au milieu duquel le personnage inscrit sa revendication d'authenticité, se vouant ainsi à l'échec.

Au contraire nous prenons part, avec ces deux expériences d'abord exclusives l'une de l'autre, à la même valorisation de la recherche en tant que révélant un monde, que ce monde soit inhérent à la parole ou qu'il soit lavé par elle. L'ordre des facteurs est inversé : loin d'être contesté par lui, le chercheur détient, avec son attention et son langage, la clef du monde. Qu'il le parle ou simplement le réveille, le monde naît de lui. Non sans faire ressortir le doute et l'effort contenus dans sa quête, puisqu'il souffre pour en arriver là, le personnage nous apparaît en voie de s'acquérir la maîtrise du monde : par la vertu de sa parole hésitante (4) mais têtue, l'univers, d'antagoniste, lui serait enfin devenu co-existant.

On voit ce qui peut être demandé à cet effort de parole dont l'humilité radicale exclut l'appréhension facile, extérieure et souvent illusoire du monde historique dont le roman traditionnel se sert pour nous appâter.

En particulier, on ne saurait rencontrer ici, chez Claude Simon mis à part, de référence à l'événement de notre temps, ni par conséquent juger le Nouveau Roman à cette aune. Voit-on celui qui se mettrait à douter de la parole et

---

(4) Cf. la « manie » des reprises, des approximations successives chez Robbe-Grillet et Simon ; les scrupules d'entomologistes des narrateurs de Nathalie Sarraute et Butor.

tenterait de remonter aux sources du langage s'en prendre
d'un coup aux profonds jeux de mots heideggeriens, aux
traités de Wittgenstein ? C'est précisément ce que l'on reproche aux romanciers en question de *ne pas faire*. D'abord
méfiants envers le monde « reçu » et le langage « donné »,
réduisant au minimum les risques d'erreur et voulant avant
tout assurer à leur parole le bénéfice du doute, donner à
leur travail, une fois pour toutes, sa vraie qualité de
recherche, ils se heurtent à l'ironie facile de ceux qui pro-
posent à leur sagacité les rubriques d'un jeu-concours :
l'Histoire, notre Temps. C'est ne pas voir que le récit ne
peut plus vivre, s'il veut être re-considéré, sur les trompe-
l'œil et les facilités justement qualifiés de romanesques qui
encombrent la littérature, qu'elle soit engagée ou non, entre-
tiennent de fausses croyances sur le monde, nourrissent de
mythes et de préjugés aussi bien les œuvres « irresponsables » que celles qui se veulent éclairantes. C'est ne pas
voir que, pour s'ajuster à l'Histoire, ce qui en effet doit
être un jour son but, l'instrument qu'est le récit doit d'abord
s'être longtemps écouté lui-même et avoir purgé son métal
des pailles qui s'y tiennent encore. « L'intelligence immédiate et générale de ce qui se crée », pour reprendre la
belle formule de Breton, passe par le changement radical
de la vision, la mobilisation sérieuse de l'attention individuelles, non par l'ingestion d'une Histoire pré-mâchée. Michel Butor écrit : « Que de fantômes entre nous et le
monde, entre nous et les autres, entre nous-mêmes et
nous » (5). Pour qui la lit chronologiquement, son œuvre
montre à l'évidence que l'appréhension finale du rapport de
l'individu à l'Histoire, qu'elle contient en promesse, ne peut
découler que de l'appréhension du rapport de l'individu à

---

(5) In *Les Lettres françaises*, art. cité.

autrui, de l'individu à lui-même. Le Nouveau Roman en
est encore, ou peu s'en faut, à la décision de la table
rase ; il s'est à peine risqué à l'énoncé des règles de la
méthode : on ne peut exiger de lui, hypothèse de travail,
qu'une enquête précautionneuse. L'écrivain qui parle nous
parle de son hésitation, il nous demande de faire attention à sa voix : c'est-à-dire, au fond, d'assurer la nôtre et
d'être inquiet nous-mêmes. Il nous dit de regarder, avec
lui, au plus près. Nul doute que l'appréhension totale du
réel, demain, ne doive beaucoup à cette tentative scrupu-
leuse et profonde, aujourd'hui.

Il y a plus. Quelque chose de capital accompagne cette
hésitation-même où nous voyons les œuvres demeurer et
valorise l'étape de la table rase dont certaines, par exigence
ou faiblesse, font leur avenir. C'est la participation à la
lecture.

Une première approche de l'ensemble nous a laissé de-
viner combien le lecteur est requis, sommé de s'associer
à la voix qui parle et qui cherche. Tout est mis en œuvre
pour qu'il se sente concerné, engagé même par l'élaboration du livre, donc de l'enquête. C'est ce que révèle fortement une saisie déjà plus particulière de l'œuvre de Robbe-
Grillet, et surtout de celle de Butor. Ce que les nouveaux
romanciers ont dès l'abord dénoncé comme inacceptable
dans la littérature traditionnelle encore consommée de nos
jours, c'est la paresse complice sur laquelle elle repose : le
romancier élabore avec soin, le lecteur absorbe avec délices
un monde facile et convenu. Double opération où c'est précisément la facilité et la convention qui fondent l'entente et
font toute la valeur « culturelle » de la chose. Il n'est
besoin, pour répondre alors à ceux qui veulent faire au
Nouveau Roman le mauvais coup de l' « irresponsabilité »,
que de citer quelqu'un qui apparemment s'y connaît en
cette matière, Bertold Brecht, parlant de certain plaisir bour-

geois à l'Opéra : « Se précipitant à la sortie du métro, assoiffés de devenir de la cire dans les mains des magiciens, des hommes adultes, éprouvés et implacables dans la lutte pour la vie, se hâtent vers les caisses du théâtre. Avec leur chapeau, ils laissent au vestiaire leur comportement « dans la vie » et prennent, en quittant le vestiaire, une attitude de rois... Serait-il possible de changer tout cela ? » (6). C'est justement, pour reprendre le terme même de Brecht, ce « culinaire » paresseusement mais triomphalement absorbé et abusivement transmuté en valeur que la lecture du roman traditionnel apporte à ses consommateurs. C'est contre ce monde prédigéré et mythique que le Nouveau Roman s'insurge, comme un certain théâtre se dresse contre le règne du spectacle gastronomique et fascinant. Si le livre n'est pas un lieu actif, il n'est rien. Avec des moyens différents (7) de ceux de Brecht ou de chercheurs plus récents qui visent à faire participer le spectateur, par la réflexion ou même par l'action (8), à la geste dramatique, des romanciers comme Simon, Robbe-Grillet et surtout Butor, pour ne rien dire de leurs cadets, veulent intéresser le lecteur à l'élaboration de l'œuvre ou susciter en lui le désir de la mimer. Qu'enfin, de même que le spectateur peut espérer un jour ne plus être nourri mais affamé, le lecteur ne soit plus ce paresseux irresponsable chez qui la « culture » est le pire des alibis nutritifs ! Quand l'arme de ce

---

(6) Cité par Georg LUKACS, in *Brève histoire de la littérature allemande*, 1949. Il n'est peut-être pas sans intérêt de noter que les traducteurs de cet essai sont Lucien Goldmann et Michel Butor.
(7) Bien qu'il ne soit pas interdit de rapprocher, à certains égards, le *Verfremdungseffekt* brechtien de la Mise au miroir chez Robbe-Grillet.
(8) Chercheurs auxquels il convient d'ajouter dès à présent Michel Butor, dont *Votre Faust* réalise de façon remarquable l'idéal d'une action *ad libitum*, faite en partie par le public, le concernant totalement en tout cas.

combat, le livre, se sera perfectionnée, le monde ne sera
plus digéré, mais recherché non sans inquiétude. Sa com-
préhension ne sera plus érigée, comme dans le cas du
bourgeois mélomane, en avantage de classe : elle sera le
résultat d'une humble recherche qui garantira la compré-
hension non bavarde des autres.

C'est dire que, dans le cadre d'une économie non socia-
liste, cette entreprise romanesque, évidemment bourgeoise
au départ par la culture qui la suscite et le public qui la
reçoit, peut espérer convertir le lecteur triomphant en
homme inquiet des autres et de l'En-dehors. A moins de
véhiculer convention et délires, le roman ne connaît sans
doute pas d'autre révolution.

CET OUVRAGE A ÉTÉ ACHEVÉ
D'IMPRIMER LE 5 JUIN
1970 SUR LES PRESSES DE
L'IMPRIMERIE CORBIÈRE ET
JUGAIN, A ALENÇON, ET
INSCRIT SUR LES REGIS-
TRES DE L'ÉDITEUR SOUS
LE NUMÉRO 801

Imprimé en France